BRIGITTE BORELL · ATTISCH GEOMETRISCHE SCHALEN

HEIDELBERGER AKADEMIE DER WISSENSCHAFTEN

KOMMISSION FÜR ANTIKE KERAMIK

Keramikforschungen
II

VORSITZENDER DER KOMMISSION: ROLAND HAMPE

BRIGITTE BORELL

ATTISCH GEOMETRISCHE SCHALEN

Eine spätgeometrische Keramikgattung und ihre
Beziehungen zum Orient

VERLAG PHILIPP VON ZABERN · MAINZ AM RHEIN

Gedruckt mit Unterstützung des Deutschen Archäologischen Instituts
und der Ceramica-Stiftung, Basel

MEINEN ELTERN

Inhalt

Vorwort

Die Arbeit über die attisch spätgeometrischen Schalen ist die leicht veränderte Fassung meiner Dissertation, die im Wintersemester 1975/76 der Fakultät für Orientalistik und Altertumswissenschaft der Ruprecht-Karl-Universität Heidelberg vorlag. Roland Hampe gab die Anregung zu dieser Arbeit, die er stets hilfreich und mit großer Geduld gefördert hat. Er ermöglichte mir die Veröffentlichung in der Reihe der Kommission für antike Keramik und übernahm selbst einen Teil des Korrekturlesens. Ihm möchte ich von Herzen Dank sagen.

Dankbar denke ich auch an Hildegund Gropengießer, die mit steter Anteilnahme und vielen Ratschlägen die Entstehung der Arbeit verfolgt hat. Zahlreiche Hinweise verdanke ich Herbert A. Cahn, Bernhard Schmaltz und Tonio Hölscher, der die Arbeit als Korreferent las. Außerdem habe ich Klaus Beyer zu danken, der mir seinen Rat bei der Zusammenstellung der semitischen Inschriften zur Verfügung stellte.

Für die Unterstützung bei der Beschaffung von Photos oder einer Photographiererlaubnis, die Überlassung von Publikationsvorlagen, die Erleichterung meiner Zeichenarbeit in verschiedenen Museen sowie für Hinweise und Informationen danke ich O. Alexandri, D.M. Bailey, J. Ch. Balty, L. N. Barber, G. Beckel, A. Birchall, B. Bohen, J. E. Curtis, G. Dontas, M. L. Erlenmeyer, B. Freyer-Schauenburg, W. Gauer, J. Geroulanos, Chr. Grunwald, F. W. Hamdorf, D. E. L. Haynes, R. G. Hood, U. Knigge, K. Kübler, W. Martini, R. Oddy, A. Pasquier, B. Philippaki, A. J. N. W. Prag, H. Protzmann, A. N. Rollas, E. Sakellaraki, P. Themelis, E. Touloupa, A. Vahlen, M. Vickers, dem Managing Comittee of the British School at Athens und der Mission Archéologique Belge en Grèce.

Weiterhin habe ich der Ceramica-Stiftung, dem Deutschen Archäologischen Institut und der Heidelberger Akademie der Wissenschaften für Zuschüsse zu den Druckkosten zu danken.

Verzeichnis der abgekürzt zitierten Literatur

Barnett	Barnett, A Catalogue of the Nimrud Ivories in the British Museum (1957)
Boardman	Boardman, The Greeks Overseas (1964)
Brann, Agora VIII	Brann, Late Geometric and Protoattic Pottery, The Athenian Agora VIII (1962)
Canciani	Canciani, Bronzi orientali e orientalizzanti a Creta nell' VIII e VII sec. A.C. (1970)
Coldstream	Coldstream, Greek Geometric Pottery (1968)
Collignon-Couve	Collignon-Couve, Catalogue des vases peints du Musée National d'Athènes (1904)
Davison	Davison, Attic Geometric Workshops, Yale Classical Studies XVI (1961)
Donner-Röllig, KAI²	Donner-Röllig, Kanaanäische und aramäische Inschriften² (1966 bis 1969)
Dunbabin	Dunbabin, The Greeks and Their Eastern Neighbours (1957)
Fittschen	Fittschen, Untersuchungen zum Beginn der Sagendarstellungen bei den Griechen (1969)
Fittschen, Bildkunst	Fittschen, Bildkunst Teil 1, Der Schild des Achilleus, Archaeologia Homerica (1973)
Frankfort	Frankfort, The Art and Architecture of the Ancient Orient (1958)
Gjerstad	Gjerstad, Decorated Metal Bowls from Cyprus, OpArch. 4 (1946) 1 ff.
Hampe	Hampe, Frühe griechische Sagenbilder aus Böotien (1936)
Ker. V, 1	Kübler, Kerameikos V, 1 (1954)
Ker. VI, 2	Kübler, Kerameikos VI, 2 (1970)
Kunze	Kunze, Kretische Bronzereliefs (1931)
Layard	Layard, Monuments of Nineveh II (1853)
Muscarella	Muscarella, Near Eastern Bronzes in the West: The Question of Origin, in Art and Technology (1970), 109 ff.
Naveh	Naveh, The Development of the Aramaic Script (1970)
Poulsen	Poulsen, Der Orient und die frühgriechische Kunst (1912)
Schweitzer	Schweitzer, Die geometrische Kunst Griechenlands (1969)
Tölle	Tölle, Frühgriechische Reigentänze (1964)
Webster	Webster, in Notes from the Manchester Museum Nr. 39, Memoirs and Proceedings of the Manchester Literary and Philosophical Society 82 (1937–38), 10 ff.
Wegner	Wegner, Musik und Tanz, Archaeologia Homerica (1968)
Wiesner	Wiesner, Fahren und Reiten, Archaeologia Homerica (1968)

Abbildungsnachweis

PHOTONACHWEIS

American School of Classical Studies at Athens: Taf. 24a. Athen, TAP Service: Taf. 1.16.21. DAI Athen: Taf. 5.10.13.14.15.20.24d.28a.32.36. Bonn, Akademisches Kunstmuseum: Taf. 3. Brüssel, Musées Royaux: Taf. 25b. Dresden, Staatl. Kunstsammlungen, Skulpturensammlung: Taf. 33a. Edinburgh, Royal Scottish Museum: Taf. 4.8.9. Hobart, John Elliott Classics Museum: Taf. 31. London, Trustees of the British Museum: Taf. 11.27. Manchester Museum, University: Taf. 6. München, Staatl. Antikensammlungen und Glyptothek: Taf. 2.17. Münzen und Medaillen A.G. Basel (Photo D. Widmer): Taf. 26.29a. Oxford, Ashmolean Museum: Taf. 23.33b.35. Würzburg, Martin von Wagner-Museum: Taf. 19.22. Aufnahmen der Verf.: 7.12.18.24b-c.28b–d.29b.30.34.

NACHWEIS DER TEXTABBILDUNGEN

1–5. 12: Zeichnungen von der Verf.   6: AttiMGrecia 1970–71 Taf. VIII.   7: Zeichnung von K. Kübler.   8: Olympia IV (1890) Taf. 52,884.   9: Layard, Monuments of Nineveh II (1853) Taf. 68.   10: AM.28 (1903) Taf. 3.   11: Syria 47 (1970) 65 Abb. 1.

Einleitung

Die vorliegende Untersuchung ist einer besonderen Gattung von Keramikschalen gewidmet, die in Attika in spätgeometrischer Zeit hergestellt wurde. Die Schalen fallen durch ihre Form auf, die zwar in manchem an den Skyphos erinnert – zwei horizontale Rundhenkel, Rand und manchmal ein Fuß –, im Unterschied zu den Skyphoi aber offener ist, da sich die Wandung von einer schmalen Bodenfläche aus schräg nach außen weitet und nach einer Schultereinziehung mit einem ausladenden Rand abschließt. Noch mehr aber zeichnen sich die Schalen durch ihre reiche Bemalung aus; sie erstreckt sich nicht nur auf die Außenseite, sondern vornehmlich auf die Innenseite, die sogar die wichtigeren Darstellungen trägt und oft in konzentrischen Zonen figürlich bemalt ist, während die Außenseite ornamental verziert ist. Diese Besonderheiten führen zu der Überlegung, ob ein solcher Schalentyp zufällig entstanden ist oder ob es dafür Anregungen und Vorbilder gab, die vielleicht sogar außerhalb Attikas und Griechenlands zu suchen sind. In diese Überlegung muß man auch die Themen der Innenbemalung miteinbeziehen, die ebenfalls häufig ungewöhnlich sind.

Die einmalige Form und Dekorationsweise fiel bereits bei den ersten Funden von Schalen dieser Gattung auf, die am Ende des letzten Jahrhunderts in Attika gemacht wurden. Schon Brueckner und Pernice[1], die als erste eine solche Schale ausführlich besprachen, zitierten als Vorbilder die flachen, orientalischen Metallschalen, die im Inneren getriebene, konzentrische Friese mit reichen Figurendarstellungen zeigen. Andere[2] schlossen sich dieser Meinung an und sahen in diesen Schalen, deren Bestand allmählich wuchs, ein frühes Beispiel orientalischer Beeinflussung, wie sie in dem auf den geometrischen folgenden, protoattischen Stil des 7. Jhs. v. Chr. ganz deutlich zu fassen ist. Den fremdartigen Charakter dieser Schalen und ihrer Innenbemalung hob E. Kunze[3] in seiner Arbeit über die kretischen Bronzereliefs hervor, in der er sich gerade mit den Einwirkungen des Orients auf die frühe griechische Kunst beschäftigt; auch ergänzte er die früheren Listen der bekannten Schalen um einige weitere Beispiele. Dieser Bestand wurde besonders durch die Ausgrabungen in Athen auf der Agora und am Kerameikos sowie an verschiedenen Fundplätzen in Attika bedeutend erweitert. Gleichzeitig wurden auch einige der orientalischen Metallschalen und die von ihnen abzuleitenden zyprischen Metallschalen genauer bearbeitet, auf die immer wieder als Vorbilder für die attischen Keramikschalen hingewiesen wurde[4]. Dabei handelte es sich aber meist nur um kurze Hinweise auf die Beziehung zwischen den attischen Schalen und den Metallbeispielen des Ostens. B. Schweitzer verdanken wir die bisher einzige, wirklich ausführliche Erörterung einiger ausgewählter Schalen unter diesem Gesichtspunkt[5]. Zuletzt betonte Car-

---

1 Brueckner-Pernice, AM. 18 (1893) 113 ff.: Athen, Nat.Mus. 784, Nr. 24.
2 Pfuhl, AM.28 (1903) 182. Poulsen, Die Dipylongräber und die Dipylonvasen (1905) 114 ff. Poulsen, Der Orient und die frühgriechische Kunst (1912) 109. Möbius, AM. 41 (1916) 156 ff. Schweitzer, AM. 43 (1918) 142 f. mit Anm. 1.
3 Kunze 76 Anm. 6; 248 f. Das dort zitierte Beispiel in

Halle meint wohl den Napf Slg. Altheim, s. Bielefeld, in Studies Presented to David M. Robinson II (1953) 43 ff. Taf. 10.
4 Dikaios, BSA. 37 (1936–37) 65. Gjerstad, Swed. Cypr. Exped. IV, 2 (1948) 303. Gjerstad, OpArch. 4 (1946) 1 ff. Lorimer, Homer and the Monuments (1950) 70.
5 Schweitzer 54 ff.

1

ter[6] diese Beziehung der attischen Schalen zum Orient, der auch in anderen Erscheinungen der geometrischen Kunst orientalischen Einfluß feststellte.

Besonderes Interesse brachte man schon immer einigen ungewöhnlichen Darstellungen der Schaleninnenseiten entgegen. Dabei nahmen mehrere Forscher einen so weitgehenden Einfluß des Orients an, daß sie in manchen Szenen unverstanden und verstümmelt wiedergegebene orientalische Darstellungen sahen. Andere interpretierten diese Bilder rein griechisch. Dadurch erhielten sie ebenfalls sehr verschiedene Deutungen, die immer noch keine endgültige Klarheit bringen konnten. Dieses Thema soll im Kapitel über die Szenen der Bemalung erörtert werden.

In kurzen Darstellungen widmeten sich Young, Webster, J. M. Cook, Kübler, Davison, Coldstream und Kauffmann-Samaras[7] der stilistischen Abfolge der Schalen untereinander und ihrer Stellung innerhalb der attisch geometrischen Keramik.

Die Gattung dieser Schalen soll hier zum ersten Mal zusammenfassend betrachtet werden. Zunächst wird ihre ungefähre zeitliche und räumliche Verbreitung durch zahlreiche Grabfunde abgesichert. Sodann wird ihr Verhältnis zu anderen geometrischen Gefäßen in bezug auf Form und Bemalung in den Blickpunkt gerückt. Für einen Teil der Schalen ergibt sich hierbei eine Einordnung in einige attisch spätgeometrische Werkstätten. Wichtig ist die Erörterung von Themen, die vor allem auf den Innenseiten der Schalen dargestellt sind, das Aufkommen und die Häufigkeit dieser Themen auch auf anderen attischen Gefäßen der Zeit. Aus allen diesen Punkten ergibt sich immer wieder der ungewöhnliche Charakter dieser Schalen innerhalb der geometrischen Keramik. Davon ausgehend muß erneut die Frage nach einer außergriechischen Anregung, d. h. vom Orient, gestellt werden. Darin sollen andere Beziehungen zum Orient im 8. Jh. v. Chr. miteinbezogen werden.

6 Carter, BSA. 67 (1972) 46.
7 Young, Hesp.Suppl. II (1939) 152. Webster 10ff. J. M. Cook, BSA. 42 (1947) 152f. Anm. 2. Kübler, Ker.V,1 (1954) 98ff. und Ker.VI,2 (1970) 13ff. und 583ff. Davison 61f., 82 u.a. Coldstream 60, 68, 79, 86f. Kauffmann-Samaras, CVA Louvre 16 (1972) Taf. 36,2 und 4.

Katalog

Die hier zu besprechenden attisch geometrischen Schalen unterscheiden sich von den Skyphoi durch ihre sich nach oben stark ausweitende Form. Sie stehen im allgemeinen auf einem sehr schmalen Fuß oder einer Standfläche, von der die Wandung schräg ansteigt. Die unterschiedliche Tiefe der Schalen hängt davon ab, wie flach oder steil die Wandung ist. Ein besonderes Kennzeichen im Unterschied zu den Skyphoi ist der ausladende Rand, der abgesetzt sein kann oder einen mehr gleitenden Übergang zeigt. Dicht unter dem Rand setzen die horizontalen Rundhenkel an, die leicht schräg nach oben zeigen.

Eine charakteristische Besonderheit dieser Schalen ist die Dekoration der Innenseite in konzentrischen Zonen, welche häufig die ausführlicheren und wichtigeren Darstellungen trägt. Die Dekoration richtet sich in ihrer Gliederung nach der Form, so daß sich für die Innenseite drei Zonen unterscheiden lassen: Rand, Wandung und Boden. Ebenso ist die Außenseite in drei Zonen gegliedert: ein umlaufendes Band am Rand, ein breites Feld auf jeder Seite zwischen den Henkeln und darunter wieder eine umlaufende Zone. In dieser Reihenfolge werden in den folgenden Beschreibungen die Ornamente und Darstellungen aufgezählt ohne besondere Nennung der entsprechenden Schalenzonen, die nur durch Punkt voneinander getrennt werden. Wie es in der geometrischen Keramik üblich ist, trennen auch auf den Schalen jeweils drei Umlaufstreifen die einzelnen Ornamentbänder voneinander. Sie werden ebenfalls nicht aufgezählt, sondern durch einen Strichpunkt ersetzt oder durch einen Punkt, sofern sie mit dem Ende einer Zone zusammenfallen.

Zum Gebrauch der Ornamentbenennungen sei folgendes angemerkt: *Reihe* bezeichnet ein selbständiges Ornamentband[8], dessen einzelne Motive in lockerer Reihung aufeinander folgen, während sie bei der *Kette* direkt miteinander verbunden sind.

I. SCHALEN AUS GRÄBERN
a. Aus Athen

1. Athen, Kerameikos Mus. 348.   Beil. G 3
H. 6,2. Dm. 12,7–13,2.
Aus Ker.Gr. 17.
Bestattung, Ker. V,1, 221.
Beigaben:
Oinochoe (One-piece-Oinochoe) Inv. 347,
a.O. Taf. 81
Schale Inv. 348, Nr. 1.

Form: Die knapp gewölbte, steile Wandung gleitet in den wenig ausladenden Rand über. Unten flache Rille. Standfläche.
Innen: Punktreihe, Umlaufstreifen. Breite, dunkel überzogene Zone. Konzentrische Kreislinien.
Außen: Umlaufstreifen, Henkel und übrige Wandung bis auf einen schmalen Streifen unten dunkel überzogen.
Boden: tongrundig.
Ker. V,1 Taf. 128.

---

8 Mit Punktreihe beispielsweise ist immer ein selbständiges Ornamentband gemeint, das üblicherweise von Umlauflinien eingefaßt ist. Punktlinie dagegen bezeichnet die Aneinanderreihung von Punkten, die einem anderen Schmuckmotiv untergeordnet ist (Beispiel: Vogelreihe mit schrägen Punktlinien).

2. Athen, Kerameikos Mus. 353.   Beil. F 2
H. 5,1. Dm. 14,4.
Aus Ker.Gr. 70.
Wahrscheinlich Kindergrab, Ker. V,1, 257f.
Beigaben:
Becherkrug Inv. 349, a.O. Taf. 111.
Becherkrug Inv. 350, a.O. Taf. 112.
Schale Inv. 353, Nr. 2.
Tasse Inv. 352, a.O. Taf. 107.
Kleines Tellerchen mit einem waagrechten Henkel Inv. 351, a.O. Taf. 136.
Form: Gedrungene bauchige Wandung, die oben in den ausladenden Rand umbiegt. Standfläche.
Innen: Punktreihe; zwei Reihen kurzer radialer Striche, die schachbrettartig gegeneinander versetzt sind. Konzentrische Kreislinien. Ausgesparter Zinnenmäander, konzentrische Kreise.
Außen: Umlaufstreifen. Henkel und übrige Wandung bis auf einen schmalen Streifen unten dunkel überzogen.
Boden: tongrundig.
Ker. V,1 Taf. 128.

3. Athen, Kerameikos Mus. 389.   Beil. F 7
H. 6,2–6.4. Dm. 13,5.
Aus Ker.Gr. 34.
Vermutlich Brandgrab, Ker. V,1, 231f.
Beigaben:
Fragmente einer Halshenkelamphora Inv. 1217, a.O. Taf. 148.
Fragmente einer Halshenkelamphora Inv. 1218, a.O. Taf. 148.
Kantharos Inv. 390, a.O. Taf. 86.
Skyphos Inv. 387, a.O. Taf. 92.
Skyphos Inv. 381, a.O. Taf. 90.
Fragmente eines Skyphos, ohne Inv., a.O. Taf. 148.
Schale Inv. 389, Nr. 3.
Form: Gewölbte steile Wandung, die in den hohen ausladenden Rand übergeht. Unterhalb der Henkel leichter Knick in der Wandung. Standfläche.
Innen: Zickzack. Konzentrische Kreislinien.
Außen: Umlauflinien. Wolfszahn aus stehenden gegitterten und hängenden, dunkel aus-

gefüllten Dreiecken zwischen senkrechten Strichen. Umlauflinien. Henkel: dunkel überzogen. Boden: tongrundig.
Ker. V,1 Taf. 131.

4. Athen, Kerameikos Mus. 787.   Beil. D 3
H. 6,5. Dm. 12,8–13,6.
Aus Ker.Gr. 91.
Bestattung. Schneidet Grab 89, Ker. V,1, 268f.
Beigaben:
Kraterfragment Inv. 789, a.O. Taf. 24.
Oinochoe (One-piece-Oinochoe) Inv. 786, a.O. Taf. 81.
Schale Inv. 787, Nr. 4.
Schale Inv. 788, Nr. 5.
Handgemachte Kochkanne Inv. 790, a.O. Taf. 155.
Form: Die nur in der oberen Hälfte gewölbte, steile Wandung biegt in den kurzen ausladenden Rand um. Standfläche. Zierliche Henkel.
Innen: Umlauflinien. Abwechselnd breite konzentrische Bänder und konzentrische Kreislinien. Strichkreuz.
Außen: Umlauflinien. Übrige Wandung und Henkel dunkel überzogen.
Boden: tongrundig.
Ker. V,1 Taf. 129.

5. Athen, Kerameikos Mus. 788.
   Taf. 5 und Beil. A 7
H. 7,1. Dm. 14,2.
Aus Ker.Gr. 91 (s. Nr. 4, Ker. 787).
Form: Abgesetzter, leicht nach außen geschwungener Rand. In der oberen Hälfte gewölbte, steile Wandung. Standfläche.
Innen: Rautenkette. Vogelreihe mit schrägen Punktlinien; Rautenkette. Kreis mit radialen kurzen Strichen an der Außenseite, Kreistangentenkette, Strichstern mit gewinkelten Armen.
Außen: Umlauflinien. Vogelreihe mit schrägen Punktlinien zwischen senkrechten Strichen, vor dem Henkel Punktrosette (oder Strichstern?) auf senkrechter Punktlinie. Umlaufstreifen, der unterste breiter. Henkel: Tupfenreihe. Boden: tongrundig.

Ker. V,1 Taf. 129.
Davison 61 Abb. 82.
Coldstream 68 X.21. Ker. VI,2, 585 Nr. 105.

6. Athen, Kerameikos Mus. 798.   Beil. C 8
H. 5,5. Dm. 13,4–14,1.
Aus Ker.Gr. 79.
Bestattung einer Frau, Ker. V,1, 263.
Beigaben:
Breithalskanne mit Deckel Inv. 816, a.O. Taf.
116.
Skyphos Inv. 820, a.O. Taf. 100.
Schale Inv. 798, Nr. 6.
Steilrandschüssel mit Deckel Inv. 797, a.O.
Taf. 118.
Deckel Inv. 799, a.O. Taf. 128 (zu Skyphos Inv.
820?).
Form: Die in der oberen Hälfte wenig ge-
wölbte Wandung gleitet in den geraden, aus-
ladenden Rand über. Standfläche.
Innen: Konzentrische Kreislinien. Wagen-
rad.
Außen: Punktreihe, Umlaufstreifen. Übrige
Wandung und Henkel dunkel überzogen.
Boden: tongrundig.
Ker. V,1 Taf. 128.

7. Athen, Kerameikos Mus. 822.   Beil. D 1
H. 6,9–7,2. Dm. 14,7–15,7.
Aus Ker.Gr. 93.
Bestattung einer Frau, Ker. V,1, 269.
Beigaben:
Breithalskanne Inv. 821, a.O. Taf. 116.
Schale Inv. 822, Nr. 7.
Form: Stark geschwungene Einziehung zwi-
schen dem ausladenden schmalen Rand und
der gebauchten Wandung. Unten Einzie-
hung. Standfläche.
Innen: Zweifacher Zickzack. Abwechselnd
mehrere schmale und breite Umlaufstreifen.
Stern aus zwölf gegitterten Dreieckszacken, in
der Mitte konzentrische Kreise.
Außen: Umlauflinien. Übrige Wandung und
Henkel dunkel überzogen.
Boden: tongrundig.
Ker. V,1 Taf. 128.

8. Athen, Kerameikos Mus. 857.   Beil. F 1
H. 5,2–5,4. Dm. 12,1–12,2.
Aus Ker.Gr. 94.
Bestattung einer Frau (?), Ker. V,1, 269f.
Beigaben:
Schale Inv. 857, Nr. 8.
Fußschüssel mit Deckel Inv. 858, a.O. Taf.
125.
Form: Die gewölbte Wandung biegt oben zur
Bildung des ausladenden Randes um. Unten
leichte Einziehung. Standfläche.
Innen: Kurze vertikale Striche. Abwechselnd
ein breiter und mehrere schmale Umlaufstrei-
fen. Strichstern mit gewinkelten Armen.
Außen: Punktreihe. Drei Abschnitte von Rau-
tenketten nebeneinander. Paarweise Umlauf-
streifen, unten ein breiterer.
Henkel: Querstriche. Boden: tongrundig.
Ker. V,1 Taf. 128 und 131.

9. Athen, Kerameikos Mus. 1283.
Zwei Randfragmente. a) H. 5,9. Br. 4,7. b) H.
3,1. Br. 3,2.
Aus der Füllung des Grabes 58. Opferrinne 2
nicht sicher zuweisbar, muß aber auf jeden
Fall vor Gr. 58 gesetzt werden. Ker. V,1, 251.
Form: Abgesetzter Rand. Gewölbte Wan-
dung.
Innen: Schachbrett. Stehende gegitterte Drei-
ecke. Zweifacher Zickzack.
Außen: Umlauflinien. Schraffierter Zinnen-
mäander; Schachbrett.
Ker. V,1 Taf. 131 (Fragment a).

10. Athen, Kerameikos Mus. 1319.
                    Taf. 12–13 u. Beil. B 1
H. 7. Dm. 14,9.
Aus Ker.Gr. 51a.
Bestattung in einem Holzsarg, Ker. V,1, 245f.
Beigaben:
Breithalskanne mit Deckel Inv. 1314, a.O. Taf.
113 und 140.
Schale Inv. 1319, Nr. 10.
Steilrandschüssel Inv. 1316, a.O. Taf. 120.
Steilrandschüssel Inv. 1317, a.O. Taf. 121.
Steilrandschüssel Inv. 1318, a.O. Taf. 121.
Form: Abgesetzter schmaler Rand. Knapp

gewölbte Wandung. Abgesetzter Fuß. Standfläche.
Innen: Zickzack. Zehn äsende Rehe, dazwischen Füllornamente (Zickzack, Swastika); Schachbrett; sechs Ziegenböcke mit erhobenem Kopf, dazwischen eine gegitterte Raute. Konzentrische Kreise.
Außen: Umlaufstreifen. Je fünf äsende Rehe zwischen den Henkeln, über ihren Rücken Zickzacklinien. Schachbrett; am Kopf stehend: drei äsende Rehe und ein Stier, dazwischen Füllornamente (große Swastika mit schraffierten Armen, Zickzack, Rauten mit Punkt oder gegittert).
Henkel: Punktreihe. Boden: tongrundig.
Ker. V,1 Taf. 130.
Davison 63 Abb. 88. Coldstream 52 Anm. 1.

11. Athen, Kerameikos Mus. 2683. Beil. C 2
H. 7,1. Dm. 14,8–15,3.
Aus Ker.Gr. HS 291.
Bestattung eines Mannes, AA. 1964, 462 ff. Abb. 53.
Beigaben:
Breithalskanne mit Deckel Inv. 2688.
Oinochoe (Standard Oinochoe) Inv. 2682.
Schale Inv. 268, Nr. 11.
Steilrandschüssel mit Deckel Inv. 2684.
Steilrandschüssel mit Deckel Inv. 2685.
Steilrandschüssel mit Deckel Inv. 2686.
Goldband, um den Oberarm des Toten gelegt.
Form: Abgesetzter knapper Rand. Gewölbte steile Wandung. Standfläche.
Innen: Punktreihe, Schachbrett. Konzentrische Kreislinien.
Außen: Zwei Umlaufstreifen. Übrige Wandung und Henkel dunkel überzogen.
Boden: tongrundig.
Vierneisel, AA. 1964, 462 ff. Abb. 53.

12. Athen, Kerameikos Mus. 2859.
Abb. 5 (S. 48)
Fünf Fragmente. Errechneter Dm. der Schale ca. 16. Br. des größten Fragments 12,8. H. 6,8.

Einzelfund vom Kerameikos.
Form: Abgesetzter Rand. Schwach gewölbte Wandung.
Innen: Schachbrett. Fries mit wahrscheinlich vier nach rechts schreitenden Pferden, dazwischen Füllmotive (Zickzack, gegitterte Raute, stilisierter Dipylonschild, Strichstern, Stundenglas); konzentrische Kreislinien.
Außen: Umlaufstreifen, teilweise dicht verschmiert. Feld mit Wolfszahn aus gegitterten Dreiecken zwischen Triglyphen aus Schrägstrichen und mehrfachem Zickzack. Zickzack zwischen Umlauflinien.
Ker. V,1 Taf. 131 (rechts unten).

13. Athen, Kerameikos Mus. 2860.
Drei Fragmente: a) Rand und Henkelansatz erhalten. H. 4,2. b) H. 5,6. c) Randfragment. H. 3,8. Br. 7,5.
Einzelfund vom Kerameikos.
Form: Abgesetzter ausladender Rand. Gewölbte Wandung.
Innen: Punktreihe, Zickzack zwischen Umlauflinien. Umlauflinien.
Außen: Umlauflinien. Feld mit vertikalen gebrochenen Linien zwischen senkrechten Strichen. Umlauflinien.
Ker. V,1 Taf. 131 (Fragment a und b).

14. Athen, Kerameikos Mus. 3786. Beil. D 6
H. 5,7–5,9. Dm. 13,6.
Aus Ker.Gr. VD 30.
Beigaben:
Breithalskanne Inv. 3785.
Schale Inv. 3786, Nr. 14.
Skyphos Inv. 3787.
Form: Die gewölbte Wandung gleitet in den ausladenden Rand über. Unten eine feine Rille. Standfläche.
Innen: Umlaufstreifen. Wandung dunkel überzogen. Konzentrische Kreise.
Außen: Umlaufstreifen. Zickzack zwischen senkrechten Strichen. Unterer Teil der Wandung und Henkel dunkel überzogen bis auf einen tongrundigen Streifen unten. Boden: tongrundig.

15. Athen, Kerameikos Mus. 4348.
Fragment. H. der Schale 6,1.
Einzelfund vom Kerameikos.
Form: Die bauchige Wandung geht in den ausladenden Rand über. Unten schwacher Wulst. Standfläche.
Innen: Punktreihe, Umlaufstreifen. Breite, dunkel überzogene Zone. Konzentrische Kreislinien.
Außen: Umlaufstreifen. Übrige Wandung und Henkel dunkel überzogen bis auf einen tongrundigen Streifen unten.
Boden: tongrundig.

16. Athen, Kerameikos Mus. 4362.
Fragment. H. 4,5.
Einzelfund vom Kerameikos.
Innen: Vogelreihe; Schachbrett.
Außen: Rautenkette; Schachbrett, zwei Umlaufstreifen, der untere breiter.

17. Athen, Kerameikos Mus. 4363.
Fragment. H. 2.
Einzelfund vom Kerameikos.
Innen: Hinterteil eines nach rechts rennenden Hundes, darunter Rest eines Zickzacks.
Außen: Zickzack zwischen Umlauflinien.

18. Athen, Kerameikos Mus. 4367.
Fragment. H. 3,2.
Einzelfund vom Kerameikos.
Innen: Rest eines nach rechts schreitenden Kriegers mit Dipylonschild und zwei Speeren, als Füllmotiv vertikale Winkelreihe.
Außen: Zickzack, Umlaufstreifen.

19. Athen, Kerameikos Mus. 4368. Taf. 24 d
Randfragment mit Stück des Henkels. H. 3,9.
Einzelfund vom Kerameikos.
Form: Weicher Übergang von der gewölbten Wandung zum ausladenden Rand.
Innen: Punktreihe (?), zwei Umlauflinien, Schachbrett. Kopf und Hals eines Pferdes nach links, dazwischen Füllmuster (zweifacher Zickzack, vertikale Schlangenlinie oder $\frac{1}{2}$-Linie).

Außen: Zickzack. Feld mit mehrfacher Rautenkette; Rest eines Schachbrettmusters (?).
Henkel: Querstriche.

20. Athen, Kerameikos Mus. 4369. Taf. 24 b
Bodenfragment. Dm. Boden 4,6.
Einzelfund vom Kerameikos.
Form: Standfläche.
Innen: Rest eines Frieses mit grasenden Pferden (oder Rehen?) nach links, dazwischen Füllmotive (Raute, die mit einer kleineren Raute gefüllt ist, $\frac{1}{2}$-Linie). Ausgesparter Zinnenmäander; schraffiertes »Malteserkreuz«.
Außen: Zickzack zwischen Umlauflinien.
Boden: drei konzentrische Kreise.

21. Athen, Kerameikos Mus. 4370.
Taf. 24 c und Abb. 1
Drei Fragmente. a) Randfragment Br. 10,5. b) Randfragment Br. 3. c) H. 4. Br. 4. Errechneter Dm. der Schale ca. 15.
Einzelfund vom Kerameikos.
Form: Weicher Übergang zwischen gewölbter Wandung und kurzem ausladenden Rand.
Innen: Punktreihe, zwei Umlauflinien, Schachbrett. Fries mit nach rechts schreitenden Löwen mit aufgerissenem Maul, die Ohren als zwei Zacken wiedergegeben, hinter einem Löwen der Rest eines Kriegers mit Dipylonschild und dem Speer in der ausgestreckten Hand, dazwischen Füllmotive (Zickzack, vertikale Winkelreihe, Stundenglas).
Außen: Schrägstriche. Zweifacher Zickzack zwischen Triglyphen aus Schrägstrichen. Zickzack; kurze vertikale Striche.

Abb. 1. Athen, Ker. 4370(c), Nr. 21.

22. Athen, Nat. Mus. 343.
Miniaturschale. H. 2,7. Dm. 7.
Vom Kerameikos (?).
Form: Die gewölbte Wandung gleitet in den
ausladenden Rand über. Standfläche.
Innen: Punktreihe, zwei Umlaufstreifen,
Schachbrett. Fries mit fünf grasenden Pferden
nach links, ziemlich flüchtig gezeichnet, als
Füllmuster Zickzack, Raute, vertikale Winkel-
reihe, Schlangenlinie. Strichstern.
Außen: Zickzack. Feld mit vierfachem Zick-
zack zwischen senkrechten Strichen. Umlauf-
linien.
Henkel: Querstriche. Boden: tongrundig.
Collignon-Couve Nr. 391.
Irrtümlich als Inv. 303 zitieren diese Schale:
Pfuhl, AM. 28 (1903) 182. Pfuhl, MuZ. I 71.
Lullies, CVA. München 3 (1952) zu Taf. 125,1
und 2, Inv. 6229.

23. Athen, Nat. Mus. 729.
Taf. 10 und Beil. B 2
H. 6,2–6,3. Dm. 13,6–14,4.
Vom Kerameikos, 1891.
Form: Weich abgesetzter gerader Rand. Ge-
wölbte Wandung. Standfläche.
Innen: Schachbrett. Fries mit zwölf sitzenden
Personen auf einem Stuhl mit gegittertem Sitz
und hoher Lehne, dahinter ein hängendes ge-
gittertes Dreieck; die Personen halten in den
vorgestreckten Händen eine zweizinkige Ga-
bel (?), zwischen deren Zinken mit einem Stab
geschlagen wird; bei einigen Personen ist am
Kopf ein Helmbusch (oder eine lange Haar-
strähne?) angegeben; gepunktete Rautenket-
te. Zickzack; Strichstern.
Außen: Tupfenreihe, Umlauflinien. Übrige
Wandung und Henkel dunkel überzogen.
Boden: tongrundig.
Collignon-Couve Nr. 351. Hahland, Festschr.
Zucker (1954) 179f. Nr. 9 Abb. 16. Davison 61.
Wegner, Opus Nobile, Festschr. Jantzen
(1969) 178ff. Taf. 29,3–4.

24. Athen, Nat.Mus. 784.   Taf. 20
H. 5,5. Dm. 12,5.
Aus Dipylon Gr. VII (Fundplatz südlich der

Piräusstraße, zwischen heutiger Samouli-
straße und Plateia Eleftherias).
Bestattung einer Frau, AM. 18 (1893) 111ff.
Beigaben:
Breithalskanne mit Deckel, Nat.Mus. 782, JdI.
14 (1899) 207 Abb. 75 und 75a.
Schale Nat.Mus. 784, Nr. 24.
Steilrandschüssel, Nat.Mus. 783.
Schüssel (nicht identifizierbar).
Aryballos, Nat.Mus. 785.
Fragmente eines monochromen Gefäßes.
Drei Spinnwirtel aus Ton.
Form: Die knapp gewölbte Wandung gleitet
in den gerade ausladenden Rand über.
Standfläche.
Innen: Schachbrett. Figürliche Zone: 1. Rei-
gen von vier Frauen in langen karierten Rök-
ken, die einander mit erhobenen Händen fas-
sen, in denen sie zugleich Zweige halten; die
erste hält einen Kranz in der vorgestreckten
Hand; sie schreiten auf eine Gestalt zu, die auf
einem Stuhl mit Rückenlehne sitzt, die Füße
auf einen dreibeinigen Schemel aufgestellt; in
der vorgestreckten Hand hält sie einen Zweig,
der übrige Oberkörper ist zerstört. 2. Zwei
schreitende Krieger, jeder mit Dipylonschild
und zwei Speeren; zwischen ihnen auf einem
Bema eine kniende Gestalt, in der erhobenen
Rechten ein spitzwinklig zulaufendes Saiteninstrument mit vier oder fünf Saiten, in der
erhobenen Linken einen Zweig. 3. Zwei miteinander kämpfende, geflügelte Fabelwesen
mit menschlichem Oberkörper mit Armen,
einem pferde- oder löwengestaltigen Körper
und Löwenschwänzen; Füllornamente (Zickzack, vertikale Winkelreihe, vertikale Reihe
von M-Mustern, Stundenglas, Kreuz, Strichstern). Schachbrett; achtstrahliger Strichstern
in einem breiten Kreis.
Außen: Punktreihe, Umlaufstreifen. Feld mit
Wolfszahn aus gegitterten Dreiecken zwischen Triglyphen aus Schrägstrichen und ver-
tikalem ausgesparten Zinnenmäander, vor
dem Henkel Punkt. Zickzack; karierter Streifen.
Henkel: Querstriche. Boden: tongrundig.
Brueckner-Pernice, AM. 18 (1893) 113ff. Abb.

10. Kraiker, Neue Beiträge zur klassischen Altertumswissenschaft, Festschr. Schweitzer (1954) 43f. Taf. 3. Wegner, Musik und Tanz, Archaeologia Homerica (1968) Kat.Nr. 27. Coldstream 60 VII.48. Schweitzer 55f. Lehnstädt, Prozessionsdarstellungen auf attischen Vasen (1970) 18ff. Carter, BSA. 67 (1972) 46f. Taf. 11b und c. Ker. VI,2 (1972) 583 Nr. 93.

25. Athen, Magazin der 3. Ephorie, Areosstraße 3.
H. 4,9. Dm. 15.
Aus Piräusstraße 57 Gr. XV, Delt. 23 (1968) 82 Taf. 46.
Beigaben:
Schale, Nr. 25, a.O. Taf. 46b.
Steilrandschüssel mit Deckel, a.O. Taf. 46c.
Steilrandschüssel mit Deckel wie a.O. Taf. 46c.
Teller.
Form: Sehr flach. Weicher Absatz zwischen der gewölbten Wandung und dem Rand. Standfläche.
Innen: Schachbrett. Fünf nach rechts schreitende Löwen mit aufgerissenen Mäulern und ausgespartem Auge, der dicke Vorderleib auf sehr kurzen Beinen, dazwischen Füllmotive (Zickzack, M-Muster, gegitterte und gepunktete Rauten, Stundenglas, Kreuzchen). Schachbrett; Wagenrad.
Außen: Punktreihe; Zickzack. Feld mit dreifachem Zickzack zwischen Triglyphen mit Schrägstrichen und M-Mustern. Schachbrett; Zickzack, Umlaufstreifen, der unterste etwas breiter.
Henkel: Punktreihe. Boden: tongrundig.
Alexandri, Delt. 23 (1968) 82 Taf. 46b.

26. Athen, Agora Mus. P 3645.   Beil. C 1
H. 6,2–6,7. Dm. 15,4–15,6.
Aus Agora Gr. XXV.
Bestattung eines Jünglings (?), gestört von Gr. XXIV, Hesp. Suppl. II (1939) 101ff. Abb. 72.
Beigaben:
Breithalskanne mit Deckel P 3647.
Becherkrug P 3646.
Schale P 3645, Nr. 26.
Handgemachter Aryballos P 3644.

Form: Abgesetzter ausladender Rand. Geschwungene Wandung. Abgesetzter Fuß. Bodenfläche konkav.
Innen: Umlauflinien. Breite, dunkel überzogene Zone. Konzentrische Kreise, achtstrahliger Strichstern.
Außen: Umlauflinien. Gegitterte Raute zwischen zwei Stundenglasmotiven. Umlauflinien; der übrige Teil unten und der Fuß dunkel überzogen.
Henkel: dunkel überzogen. Boden: tongrundig.
Young, Hesp. Suppl. II (1939) 101f. Abb. 72.
Brann, Agora VIII Nr. 143 Taf. 8.

27. Athen, Agora Mus. P 5503.
                    Taf. 24a und Beil. E 3
Bodenfragment, Henkelansatz erhalten. Dm. Boden ca. 4,5.
Aus Agora Gr. XI. Bestattung eines Mannes, Hesp. Suppl. II (1939) 44ff. Abb. 32ff.
Beigaben im Grab:
Zwei Halshenkelamphoren P 5423 und P 5422, a.O. Abb. 32,1–2.
Kantharos P 5421, a.O. Abb. 32,5.
Zwei Steilrandschüsseln P 5420 und P 4719, a.O. Abb. 32, 3–4.
Eisenmesser IL 172, a.O. Abb. 73, XI 6.
Beigaben, die in der Opfergrube verbrannt wurden:
Hydriafragmente P 5499, a.O. Abb. 33 und 34, 7.
Kleine Standard-Oinochoe P 5500 und Fragmente einer zweiten P 6485, a.O. Abb. 33,16 und Abb. 35,17.
Becherkrug P 5504, a.O. Abb. 33,15.
Henkelfragment eines Skyphos P 6484, a.O. Abb. 35,14.
Schalenfragment P 5503, Nr. 27.
Fragmente zweier Tassen P 5502 und P 6483, a.O. Abb. 35,11–12.
Zwei Fußschüsseln P 5497 und 5498, a.O. Abb. 33,8–9.
Kesselfragment P 5501, a.O. Abb. 35,10.
Terrakottafigur einer Klagefrau T 807 und Fragment einer zweiten T 841, a.O. Abb. 35,18–19 und Abb. 36.

Form: Unten eine feine Rille. Standfläche.
Innen: Fries mit grasenden Pferden nach links (Hinterteil eines Pferdes, Kopf und Rest der zwei Vorderbeine des Pferdes dahinter erhalten), dazwischen Ornamente (gepunktete Raute und ⚡-Linie sowie ein Winkelhaken oder Stundenglas über dem Kopf und ein Winkelhaken vor dem zweiten Vorderbein des hinteren Pferdes). Zickzack; schraffiertes »Malteserkreuz«.
Außen: In der Henkelzone doppelte Rautenkette zwischen senkrechten Strichen. Zickzack; unten breiter Streifen.
Henkel: Querstriche. Boden: drei konzentrische Kreise.
Young, Hesp. Suppl. II (1939) 52 Abb. 35,13.
Ker. VI,2 584 Nr. 97.

28. Athen, Akropolis Mus. 1959-NAK-27.
H. 6. Dm. 13,6.
Vom Südabhang der Akropolis. Bestattung, Delt. 28 (1973) 21 ff.
Beigaben:
Breithalskanne 1959-NAK-26, a. O. Taf. 13d.
Schale 1959-NAK-27, Nr. 28.
Teller 1959-NAK-25, a. O. Taf. 14a–b.
Steilrandschüssel mit Deckel 1959-NAK-24, a. O. Taf. 13e.
Form: Weich abgesetzter, ausschwingender Rand. Standfläche.
Innen: Schachbrett. Vogelreihe mit schrägen Punktlinien; gepunktete Rautenkette; Punktreihe. Strichstern.
Außen: Umlaufstreifen. Übrige Wandung und Henkel dunkel überzogen.
Boden: tongrundig.
Miliadis, Prakt. 1959, 6 Taf. 2b. Ergon 1959, 157 f. Abb. 157. Charitonides, Delt. 28 (1973) 23 Taf. 14c.

b. Aus Attika (alphabetisch nach Fundorten)

29. Athen, Nat.Mus. 14440.   Beil. F 8
H. 3,7. Dm. 11,4–11,6.
Aus einem Grab von Anavysos, Prakt. 1911,

116 ff. Die Inventare der einzelnen Gräber von Anavysos können nicht mehr rekonstruiert werden[9].
Form: Die gewölbte Wandung biegt oben in den weit ausladenden Rand um. Standfläche.
Innen: Kurze radiale Striche, Umlauflinien. Breite, dunkel überzogene Zone. Konzentrische Kreise, Wagenrad mit M-Mustern.
Außen: Tongrundiger Streifen. Übrige Wandung und Henkel bis auf einen unregelmäßigen tongrundigen Streifen unten dunkel überzogen.
Boden: tongrundig.
Prakt. 1911, 121 Nr. 5 Abb. 19.

30. Athen, Nat.Mus. 14441.
                    Taf. 21 u. Beil. E 2
H. 5. Dm. 12,1–12,5.
Aus einem Grab von Anavysos (s. Nr. 29).
Form: Die etwas bauchige Wandung gleitet in den ausladenden Rand über. Unten eine leichte Einziehung. Standfläche.
Innen: Punktreihe, zwei Umlauflinien, Schachbrett. Sechs geflügelte, ziegenartige Tiere mit langen, geschwungenen Hörnern, davor am Kopf zwei Tupfen als Ohren, mit ausgespartem Auge, hinten ein langer, steil aufgerichteter Schwanz, dazwischen Füllmotive (vertikale Winkelreihe, Zickzack, gepunktete Raute und Rautenstern, Stundenglas, ein Vogel mit schraffiertem Körper, ein flüchtig gemalter Silhouettenvogel zwischen den Vorderbeinen eines Tieres). Zickzack; Strichstern.
Außen: Zickzack. Zweifacher Zickzack. Zickzack zwischen Umlauflinien.
Henkel: Querstriche. Boden: drei konzentrische Kreise, darin zwei antithetische Silhouettenvögel.

9 Vgl. Himmelmann-Wildschütz, MarbWPr. 1961, 14. In Prakt. 1911, 121 Nr. 5 ist die Rede von vier derartigen Schalen. Im Athener Nationalmuseum, wo sich die Funde von Anavysos heute befinden, existieren jedoch nur drei dieser Schalen (hier Nr. 29–31).

Prakt. 1911, 121 Nr. 5 Abb. 18. Coldstream 60
VII. 46. Ker. VI,2, 584 Nr. 99.

31. Athen, Nat.Mus. 14475.

Taf. 15 u. Beil. C 4

H. 5,6. Dm. 14,2–14,3.
Aus einem Grab von Anavysos (s. Nr. 29).
Form: Abgesetzter ausladender Rand. Gewölbte Wandung. Abgesetzter kleiner Fußwulst. Standfläche.
Innen: Schachbrett. Gruppe zweier einander zugewandter Löwen mit aufgerissenen Mäulern, dazwischen ein kleiner Mann, der sich mit Schwert und Lanze – nach dem Größenverhältnis zu urteilen – erfolglos zur Wehr setzt, und vier schreitende Stiere mit ausgespartem Auge, die beiden mittleren zueinander, die anderen nach außen gewandt, dazwischen Füllornamente (Zickzack, gegitterte und gepunktete Raute, vertikale Winkelreihe). Kurze radiale Striche; Wagenrad mit kleinen Kreuzen.
Außen: Umlauflinien. Dreifacher Zickzack zwischen vertikalen Strichen. Schachbrett; Zickzack. Um den Fußwulst kurze vertikale Striche.
Henkel: Querstriche. Boden: sieben konzentrische Kreise.
Prakt. 1911, 121 Nr. 5. Kunze Taf. 53e. Schweitzer Taf. 70. Fittschen 76 L 3. Ker. VI,2 584 Nr. 102. Fittschen, Bildkunst N 14 f. Taf. N IXb.

32. Brauron, Mus.B.K. 3030.
Aus Anavysos Gr. XIV (das Grab ist unpubliziert).
Beigaben:
One-piece-Oinochoe.
Schale B.K. 3030, Nr. 32.
Skyphos.
Form: Leichter Absatz zwischen gerade ausladendem Rand und gewölbter Wandung. Unten geringe Einziehung. Standfläche.
Innen: Umlaufstreifen. Abwechselnd mehrere konzentrische Kreislinien und breite konzentrische Bänder.
Außen: Umlauflinien. Übrige Wandung und

Henkel dunkel überzogen.
Boden: tongrundig.

33. Brauron, Mus.B.K. 3135.
Aus Anavysos Gr. XXVII (das Grab ist unpubliziert).
Beigaben:
Breithalskanne B.K. 3134.
Standard-Oinochoe B.K. 3137.
Schale B.K. 3135, Nr. 33.
Skyphos B.K. 3133.
Skyphos B.K. 3136.
Skyphos B.K. 3139.
Skyphos B.K. 3138.
Form: Die gewölbte Wandung gleitet in den ausladenden Rand über. Unten leichte Einziehung. Standfläche.
Innen: Umlaufstreifen. Abwechselnd mehrere konzentrische Kreislinien und breite konzentrische Bänder.
Außen: Umlauflinien. Übrige Wandung und Henkel dunkel überzogen.
Boden: tongrundig.

34. Eleusis, Mus. 709 (308).

Taf. 32 u. Beil. F 9

H. 3,3–3,6. Dm. 9,2.
Aus Eleusis.
Form: Die etwas bauchige Wandung geht in den ausladenden Rand über. Abgesetzter Fuß. Bodenfläche leicht konkav.
Innen: Zickzack. Konzentrische Linien. Stern aus acht gegitterten Dreieckszacken; Strichstern.
Außen: Umlauflinien. Gebrochene vertikale Linien zwischen senkrechten Strichen. Umlauflinien. Fuß dunkel.
Henkel: Querstriche. Boden: tongrundig.
Kunze 76 Anm. 6.

35. Eleusis, Mus. 834.
H. 6. Dm. 13,6.
Aus Eleusis.
Form: Weich abgesetzter, ausladender Rand. Knapp gewölbte Wandung. Der schwach ausgebildete Fuß ist durch eine flache Rille abgesetzt. Standfläche.

Innen: Kurze radiale Striche, Schachbrett. Abwechselnd mehrere konzentrische Kreislinien und breite schwarze Bänder. Wagenrad.
Außen: Umlaufstreifen. Übrige Wandung und Henkel dunkel überzogen.
Boden: tongrundig.

36. Eleusis, Mus. 1682 (278).   Taf. 36
Dm. 13,8.
Aus Eleusis. Gefunden am 7. Aug. 1898 (Notiz von Skias).
Form: Die bauchige Wandung geht in den hohen Rand über. Unten Einziehung. Bodenfläche konkav.
Innen: Vogelreihe mit schrägen Punktlinien, Umlaufstreifen. Punktreihe; Zickzack. Gepunktete Kreistangentenkette, vielstrahliger Strichstern.
Außen: Schachbrett. Rautenkette über Punktreihe zwischen vertikalen Strichen. Zickzack; Rautenkette.
Henkel: Querstriche. Boden: Wagenrad, zwischen den Speichen Tupfen, von einem Punktkreis umrandet.

37. Athen, Nat.Mus. B.E. 108/1967
Aus Glyphada (?).
Form: Abgesetzter Rand. Geschwungene Wandung. Abgesetzter Fuß.
Innen: Schachbrett. Muster aus umrandeten gegitterten Zungen, die radial angeordnet sind. (Zentrum auf der Abbildung nicht zu sehen.)
Außen: Gepunktete Kreistangentenkette. Vogelreihe mit schrägen Punktlinien. Schachbrett; Punkttangentenkette; breiter Umlaufstreifen. Am Fuß Punktreihe.
Henkel: Punktreihe.
Kallipolitis, Delt. 23 (1968) 9 Taf. 3a.

38. Aus Kallithea Nr. 1091.
H. 2,8. Dm. 8,2.
Aus Kallithea »Grab I«.
Die Zusammengehörigkeit zu einem Grab ist nicht gesichert, BCH. 87 (1963) 412ff.
Beigaben:

Frühprotokorinthische Amphora 1083, a.O. Abb. 12.
Subgeometrisch-frühprotoattischer Becherkrug 1093, a.O. Abb. 7.
Subgeometrisch-frühprotoattische Schale 1091, Nr. 38.
Subgeometrisch-frühprotoattische Schale 1092, Nr. 39.
Attisch geometrische Tasse 1090, a.O. Abb. 7.
Subgeometrisch-frühprotoattische Fußschüssel 1084, a.O. Abb. 16.
Fragmente einer frühprotokorinthischen Pyxis 1094.
Frühprotokorinthischer Aryballos 1086, a.O. Abb. 10.
Frühprotokorinthischer Aryballos 1087, a.O. Abb. 10.
Frühprotokorinthischer Aryballos 1088, a.O. Abb. 10.
Attischer Kornspeicher 1089, a.O. Abb. 7.
Statuette einer Frau auf einem Thron 1125, a.O. Abb. 8–9.
Statuette eines Maultiers mit vier Pithoi 1085, a.O. Abb. 17.
Form: Leicht abgesetzter ausladender Rand. Knapp gewölbte Wandung. Abgesetzter Fuß. Boden ist im äußeren Teil schräg eingetieft, so daß eine Art Standring entsteht.
Innen: Schachbrett. Stehende gegitterte Dreiecke, die umrandet sind, dazwischen Punkte.
Zickzack; konzentrische Kreise.
Außen: Bis auf den oberen Teil dunkel überzogen.
Callipolitis-Feytmans, BCH. 87 (1963) 426f. Abb. 14–15.

39. Aus Kallithea Nr. 1092.
H. 3. Dm. 9,6.
Aus Kallithea »Grab I«. (s. Nr. 38).
Form: Leicht abgesetzter breiter Rand. Bauchige Wandung. Bodenfläche konkav. Der tief sitzende Henkel hängt nach unten.
Innen: Umlauflinien. Breite konzentrische Kreisbänder. Konzentrische Kreise.
Außen: Umlauflinien. Dreifacher Zickzack zwischen vertikalen Strichen. Umlauflinien.

Callipolitis-Feytmans, BCH. 87 (1963) 428 Abb. 15.

40. Athen, British School Mus. K. 2.
Taf. 34 und Beil. G 4
H. 7,8–8,3. Dm. 15,2–15,8.
Von Kynosarges.
Form: Abgesetzter hoher Rand. Gewölbte Wandung, unten leichte Einziehung. Standfläche.
Innen: Punkttangentenkette, Umlaufstreifen. Breites konzentrisches Band. Konzentrische Kreislinien, Strichstern.
Außen: Gepunktete Rautenkette. »Halbmond«-Reihe. Umlaufstreifen, der unterste breiter.
Henkel: Querstriche. Boden: tongrundig.
Droop, BSA. 12 (1905–06) 85 Abb. 6 unten.
Webster 10 Nr. 8.

41. Athen, British School Mus.K. 3.
Taf. 30 und Beil. F 4
H. 6. Dm. 11,7.
Von Kynosarges.
Form: Weich abgesetzter ausladender Rand. Gewölbte Wandung. Abgesetzter, kantiger dikker Fuß. Bodenfläche leicht konkav mit einer konzentrisch geführten, flachen Vertiefung.
Innen: Kurze Abschnitte von Zickzack, Umlauflinien. Abwechselnd breite konzentrische Bänder und Umlauflinien. Stern aus zehn gegitterten Dreieckszacken, Wagenrad mit länglichen Tupfen.
Außen: Zickzackabschnitte. Feld mit vertikalen Kritzellinien zwischen Triglyphen auf dreifachem (einmal nur zweifachem) Zickzack. Umlauflinien, unten ein breites dunkles Band bis über den Fuß.
Henkel: Querstriche. Boden: tongrundig.
Droop, BSA. 12 (1905–06) 86.

42. Brauron, Mus. Beil. D 7
H. 6,6. Dm. 13,4.
Aus Merenta Gr. 1 (das Grab ist unpubliziert).
Form: Mit feiner Rille abgesetzter, ausschwingender Rand. Knapp gewölbte Wandung. Standfläche.

Innen: Lockere Punktreihe, zwei Umlaufstreifen, dickere Punkte auf einer feinen umlaufenden Linie aufgemalt. Konzentrische Kreislinien. Strichkreuz mit Punkten dazwischen.
Außen: Umlaufstreifen. Übrige Wandung und Henkel dunkel überzogen.
Boden: tongrundig.

43. Brauron, Mus. Beil. A 4
H. 6–6,2. Dm. 13,8–14,2.
Aus Merenta Gr. 27 (das Grab ist unpubliziert).
Form: Abgesetzter ausladender Rand. Geschwungene Wandung. Kantiger, abgesetzter Fuß. Standfläche.
Innen: Schachbrett. Vogelreihe mit schrägen Punktlinien, einmal dazwischen ein Stundenglas; Rautenkette; Zickzack. Punktreihe; Strichstern.
Außen: Umlauflinien. Übrige Wandung und Henkel dunkel überzogen.
Boden: tongrundig.

44. Brauron, Mus. Beil. F 6
H. 5,8. Dm. 13,1.
Aus Merenta 150 (die Fundumstände sind unpubliziert).
Form: Die Wandung gleitet ziemlich geradlinig in den ausladenden Rand über. Knick in der Wandung unterhalb der Henkelzone, im unteren Teil leichte Einziehung. Standfläche.
Innen: Konzentrische Kreislinien. Strichkreuz.
Außen: Umlauflinien. Feld mit Wolfszahn aus stehenden gegitterten und hängenden, dunkel gemalten Dreiecken zwischen senkrechten Strichen. Umlauflinien.
Henkel: dunkel überzogen. Boden: tongrundig.

45. Brauron, Mus. Beil. D 2
H. 5,4–5,5. Dm. 12,1.
Aus Merenta (die Fundumstände sind unpubliziert).
Form: Weich abgesetzter Rand. Gewölbte Wandung. Standfläche.
Innen: Kurze radiale Striche, zwei Umlaufli-

nien, zweimal Gruppen senkrechter Striche, dreimal Zickzackabschnitte. Konzentrische Kreislinien. Strichstern.

Außen: Umlauflinien. Übrige Wandung und Henkel ganz überzogen.

Boden: tongrundig.

46. Athen, Nat.Mus. 15283.

Taf. 18 u. Beil. E 1

H. 5,2. Dm. 13,1–13,3.

Aus Spata Gr. 3.

Bestattung eines Mädchens, Delt. 6 (1920–21) 136 ff.

Beigaben:

Breithalskanne Nat.Mus. 15289, a.O. Abb. 6.

Lekythos Oinochoe Nat.Mus. 15287, a.O. Abb. 8,2.

Lekythos Oinochoe Nat.Mus. 15287, a.O. Abb. 8,10.

Becherkrug Nat.Mus. 15285, a.O. Abb. 8,6.

Schale Nat.Mus. 15283, Nr. 46.

Schale Nat.Mus. 15284, Nr. 47.

Deckelpyxis mit drei Pferden Nat.Mus. 15281, a.O. Abb. 7,2.

Deckelpyxis mit vier Pferden Nat.Mus. 15280, a.O. Abb. 7,1.

Deckelpyxis mit vier Pferden Nat.Mus. (nicht identifizierbar).

Miniaturkrug mit Kleeblattmündung Nat. Mus., a.O. Abb. 8,8.

Askos, Nat.Mus., a.O. Abb. 8,7.

Korb mit zwei Henkeln Nat.Mus. 15282, a.O. Abb. 8,3.

Handgemachter Aryballos Nat.Mus. 15288, a.O. Abb. 8,5.

Handgemachter Aryballos Nat.Mus. 15286 (?), a.O. Abb. 8,9.

Goldenes Pektorale Nat.Mus., a.O. Abb. 10.

Zwei bronzene Armreifen Nat.Mus., a.O. Abb. 10.

Form: Die gewölbte Wandung biegt in weichem Übergang in den ausladenden Rand um. Unten schwache Einziehung. Standfläche.

Innen: Punktreihe, zwei Umlauflinien, Schachbrett. Sieben nach rechts schreitende Pferde, dazwischen Füllmotive (zweifacher

Zickzack über den Pferderücken, gepunktete Raute unter dem Bauch, vertikale Wellenlinie, einzelne Punkte); ausgesparter Zinnenmäander. »Malteserkreuz«.

Außen: Zickzack. Zweifacher Zickzack zwischen senkrechten Strichen. Zickzack zwischen Umlauflinien.

Henkel: Querstriche. Boden: Rest eines konzentrischen Kreises erhalten.

Philadelpheus, Delt. 6 (1920–21) 134 ff. Abb. 8,1 und 9. Lullies, CVA. München 3 (1952) zu Taf. 125,3 und 4. Ker. VI,2, 584 Nr. 98. F. Hölscher, CVA. Würzburg 1 (1975) zu Taf. 15,1–3.

47. Athen, Nat.Mus. 15284.

Taf. 7 und Beil. A 5

H. 5,8. Dm. 12,8–13,1.

Aus Spata Gr. 3 (s. Nr. 46).

Form: Weicher Übergang zwischen gewölbter Wandung und ausladendem Rand. Abgesetzter kantiger Fuß. Bodenfläche konkav.

Innen: Schachbrett. Muster aus umrandeten gegitterten Zungen, die radial angeordnet sind, dazwischen dunkel gemalte Zwickel. Wagenrad mit Punktrosetten.

Außen: Umlaufstreifen. Vogelreihe mit schrägen Punktlinien zwischen Triglyphen aus Schrägstrichen, vor dem Henkel Punktrosette auf Punktlinie. Schachbrett; Umlaufstreifen, der unterste breiter. Um den Fuß zwei Umlaufstreifen.

Henkel: Punktreihe. Boden: vier konzentrische Kreise.

Philadelpheus, Delt. 6 (1920–21) 134 Abb. 8,4. Davison 61. Coldstream 68 X.25.

48. Aus Thorikos TC 66.188.

H. 4,7. Dm. 11,8.

Aus Thorikos Gr. 84.

Bestattung eines Mannes, Thorikos IV 79 ff.

Beigaben:

Breithalskanne mit Deckel TC 66.184, a.O. Abb. 53–54.

Becherkrug TC 66.185, a.O. Abb. 57–58.

Becherkrug TC 66.186, a.O. Abb. 59.

Becherkrug TC 66.187, a.O. Abb. 60.

Schale TC 66.188, Nr. 48.

14

Bronzenadel TM 66.3.
Form: Abgesetzter Rand. Gebauchte Wandung mit Einziehung unten. Bodenfläche konkav.
Innen: Kurze vertikale Striche, zwei Umlauflinien, Schachbrett. Sechs Pferde nach rechts, dazwischen Füllornamente (Zickzack, vertikale Winkelreihe, gegitterte Raute, Stundenglas). Zickzack; Strichstern.
Außen: Umlaufstreifen. Feld mit Wolfszahn aus gegitterten Dreiecken zwischen Triglyphen aus Schrägstrichen und Zickzack. Zickzack; Umlaufstreifen, der unterste breiter.
Henkel: Punktreihe. Boden: fünf konzentrische Kreise.
Thorikos IV 1966/67 (1969) Abb. 55 und 56.

49. Trachones, Slg. Geroulanos Tr 284.
H. 5,6–5,7. Dm. 13,7.
Aus Trachones Gr. A 31.
Beisetzung der Asche am Boden des rechteckigen Grabes (Trachones Grabtypus I), AM. 88 (1973) 35 Taf. 9,2.
Beigaben:
Breithalskanne mit Deckel Tr 282.
Schale Tr 284, Nr. 49.
Fußschüssel Tr 283.
Form: Die Wandung gleitet in den ausladenden Rand über. Unterhalb der Henkelzone ein Knick in der Wandung, die unterhalb des Knicks konkav eingezogen ist. Standfläche.
Innen: Punkttangentenkette. Konzentrische Kreislinien. Wolfszahn aus gegitterten Dreiecken (die innere Reihe umrandet); Wagenrad.
Außen: Umlaufstreifen. Wandung und Henkel dunkel überzogen.
Boden: tongrundig.
Geroulanos, AM. 88 (1973) 35 Taf. 9,2 Nr. 3; Taf. 51,8.

50. Trachones, Slg. Geroulanos Tr 302.
Beil. A 2
H. 6. Dm. 14,6–14,8.
Aus Trachones Gr. A 39.
Beisetzung der Asche am Boden des rechteckigen Grabes (Trachones Grabtypus I), AM. 88 (1973) 40 f.
Beigaben:
Breithalskanne mit Deckel Tr 297, a. O. Taf. 5.
Lakainaartiger Skyphos Tr 301, a. O. Taf. 5 und Taf. 28,1.
Schale Tr 302, Nr. 50.
Steilrandschüssel Tr 298, a. O. Taf. 5 und Taf. 28,3.
Steilrandschüsel Tr 299, a. O. Taf. 5 und Taf. 28,6.
Steilrandschüssel Tr 300, a. O. Taf. 5 und Taf. 28,2.
Form: Abgesetzter, ausschwingender Rand. Gewölbte Wandung. Weich abgesetzter gerader Fuß. Standfläche.
Innen: Gepunktete Rautenkette. Schachbrett; Zickzack; gepunktete Rautenkette; Zickzack. Vielstrahliger Strichstern.
Außen: Umlaufstreifen. Vogelreihe mit schrägen Punktlinien zwischen Triglyphen aus Schrägstrich, vor dem Henkel Punktrosette auf Punktlinie. Schachbrett; Punktreihe; unten breiter Umlaufstreifen.
Henkel: Querstriche. Boden: tongrundig.
Geroulanos, AM. 88 (1973) 40 f. Taf. 5. Taf. 28,4.5. Taf. 44,6. Taf. 51,5.

51. Trachones, Slg. Geroulanos Tr 336.
H. 5,6. Dm. 11,6–12,1.
Aus Trachones Gr. A32γ.
Eine von drei Urnenbeisetzungen in einem großen Graben (Trachones Grabtypus II), AM. 88 (1973) 35 ff. Taf. 22, 1.2.
Beigaben (im Pithos, als Deckel der Teller Tr 331):
Pithos auf drei Füßen Tr 330.
Oinochoe (Standard-Oinochoe) Tr 335.
Schale Tr 336, Nr. 51.
Tasse Tr 333.
Teller mit Ausfluß Tr 331.
Handgemachtes Kännchen Tr 334.
Form: Abgesetzter, sich nach außen biegender Rand. Gewölbte Wandung. Unten fußartige Einziehung. Standfläche.
Innen: Zickzack. Konzentrische Kreislinien; Stern aus sieben gegitterten Dreieckszacken.

Strichstern.
Außen: Rand oben tongrundig. Übrige Wandung und Henkel dunkel überzogen.
Boden: tongrundig.
Geroulanos, AM. 88 (1973) 37f. Taf. 22,1 und Taf. 51,9.

52. Trachones, Slg. Geroulanos Tr 358.
Beil. C 3
H. 5,7. Dm. 14,1–14,9.
Aus Trachones Gr. Ξ 9.
Beisetzung der Asche am Boden des rechtekkigen Grabes (Trachones Grabtypus I), AM. 88 (1973) 49f. Taf. 8,1.
Beigaben:
Oinochoe (One-piece-Oinochoe) Tr 362.
Kantharos Tr 361.
Skyphos Tr 359.
Skyphos Tr 360.
Schale Tr 358, Nr. 52.
Form: Mit feinem Knick abgesetzter, ausladender Rand. Wenig gewölbte Wandung. Unten schwache Einziehung. Standfläche.
Innen: Punkttangentenkette. Konzentrische Kreislinien.
Außen: Tupfenreihe, zwei Umlaufstreifen. Übrige Wandung und Henkel dunkel überzogen.
Boden: tongrundig.
Geroulanos, AM. 88 (1973) 49f. Taf. 8,1 Nr. 1. Taf. 51,7.

c. Von Fundplätzen außerhalb Attikas

53. Athen, Nat.Mus. 13038. Taf. 1 u. Abb. 10 (S. 63) H. 5,4. Dm. 15,8.
Aus Thera, Messavouno Gr. 89.
Großer Grabbau mit mehreren, getrennt aufgestellten Beisetzungen, AM. 28 (1903) 72 ff.
Beigaben der Beisetzung Nr. 5:
Theräische Amphora mit verbrannten Knochen.
Theräische Tasse A 145.
Theräische Tasse A 153, a.O. Beil. XII,6.
Theräische Kanne A 65.
Attische Schale H 19 = Nat.Mus. 13038, Nr. 53.

Kretischer Aryballos C 48, a.O. Beil. XIX,9.
Aryballos R 7, a.O. Beil. XXXVIII,8.
Skyphos S 12.
Die meisten Funde sind unpubliziert.
Form: Abgesetzter, ausladender Rand. Geschwungene Wandung. Abgesetzter Fuß. Standfläche.
Innen: Schachbrett. Figürliche Zone: Stier, zwischen seinen Hörnern ein von Punkten umrandeter Kreis, Mann mit Schwert (am Kopf zwei Punkte zur Andeutung von Haar), der die linke Hand emporhält (drei Finger erkennbar), zwei Reiter, Krieger (Auge ausgespart) mit Helm, Dipylonschild, Schwert und zwei Speeren, links und rechts je ein Pferd am Zügel haltend, dazwischen Füllmotive (Zickzack, Strichstern, Stundenglas, gepunktete Raute, vertikale Winkelreihe, Punktreihe). Schachbrett; Zickzack; Wagenrad mit Punkten.
Außen: Schachbrett. Vogelreihe mit schrägen Punktlinien zwischen vertikalen Strichen, vor dem Henkel Punkte. Gepunktete Rautenkette; Schachbrett; Rautenkette. Fuß schwarz.
Henkel: Punktreihe. Boden: Punktreihe; Punkttangentenkette (längliche Punkte); Wagenrad.
Pfuhl, AM. 28 (1903) 180f. Taf. III. Coldstream 67 X.7. Schweitzer 54 Abb. 16.

54. Thera, Mus.
Dm. 11.
Aus dem Schiffschen Grab auf Thera, Dragendorff, Thera II (1903) 291 ff. Der Grabinhalt erstreckt sich über einen zu langen Zeitraum, um für eine Datierung Anhaltspunkte geben zu können.
Form: Abgesetzter ausladender Rand.
Innen: Zickzack. Gegitterte Dreiecke.
Außen: Punktreihe. Vogelreihe mit schrägen Punktlinien zwischen Triglyphen aus Schrägstrichen, vor dem Henkel Punktrosette. Zickzack.
Henkel: Querstriche.
Dragendorff, Thera II (1903) 317 Nr. 72 Abb. 510. Coldstream 68 X.27. Ker. VI,2, 585 Nr. 106.

55. Thera, Mus.
Fragment.
Aus dem Schiffschen Grab (s. Nr. 54).
Dragendorff, Thera II (1903) 317 unter Nr. 72.

II. SCHALEN AUS BRUNNEN

Von der Agora in Athen

56. Athen, Agora Mus. P 7464.   Beil. G 2
Stark fragmentiert. Ein Henkel und Bruchstücke der Wandung fehlen. H. 4,5. Dm. ca. 13.
Aus Brunnen D 11:5 von der Agora, Hesp. Suppl. II (1939) 139 ff.; Agora VIII 125.
Form: Die gedrungene, bauchige Wandung biegt oben stark nach außen um zur Bildung des ausladenden Randes. Tiefsitzender Henkel, ungefähr auf halber Höhe der Schale. Standfläche konkav eingezogen.
Innen: An der Mündung Punktreihe. Konzentrische Kreislinien.
Außen: Umlaufstreifen. Zickzack zwischen senkrechten Strichen. Umlaufstreifen, der unterste breiter.
Henkel: Querstriche. Boden: tongrundig.
Young, Hesp. Suppl. II (1939) 152 C. 40 Abb. 108. Brann, Agora VIII Nr. 146 Taf. 8.

57. Athen, Agora Mus. P 12110.   Beil. C 5
H. 6. Dm. 11,3.
Aus Brunnen »L« (S 18:1) von der Agora, Hesp. 30 (1961) 117 ff.; Agora VIII 131.
Form: Abgesetzter ausschwingender Rand. In der oberen Hälfte stark gewölbte Wandung. Unten schwache Rille. Standfläche.
Innen: Ganz überzogen bis auf einen schmalen tongrundigen Streifen an der Mündung.
Außen: Umlaufstreifen. Stehendes gegittertes Dreieck zwischen Zickzack. Übrige Wandung und Henkel dunkel überzogen.
Boden: tongrundig.
Brann, Hesp. 30 (1961) 121f. L 27 Taf. 19.
Brann, Agora VIII Nr. 144 Taf. 8.

58. Athen, Agora Mus. P 12112.   Beil. C 6
Eine Hälfte der Schale und Henkel ergänzt. H. 6,2. Dm. ca. 12,8.
Aus Brunnen »L« (S 18:1) von der Agora (s. Nr. 57).
Form: Abgesetzter gerader Rand. Bauchige Wandung. Standfläche.
Innen: Schachbrett. Konzentrische Kreise.
Außen: Umlaufstreifen. Zickzack, darunter zwei Umlaufstreifen. Der untere Teil der Wandung dunkel überzogen.
Boden: tongrundig.
Brann, Hesp. 30 (1961) 122 L 28 Taf. 20.

59. Athen, Agora Mus. P 12277.   Beil. C 9
Randfragment mit Henkelansatz. H. 3,7. Br. 4,4.
Aus Brunnen »L« (S 18:1) von der Agora (s. Nr. 57).
Form: Abgesetzter Rand. Gewölbte Wandung.
Innen: Zickzack. Vogelreihe mit schrägen Punktlinien.
Außen: Punktreihe, Umlaufstreifen. Rest eines Wolfszahns aus gegitterten Dreiecken.
Henkel: Punktreihe (?).
Brann, Hesp. 30 (1961) L 34 Taf. 20.

60. Athen, Agora Mus. P 25290.   Beil. C 10
Fragment mit Henkel. H. 5,5.
Aus Brunnen »L« (S 18:1) von der Agora (s. Nr. 57).
Form: Gewölbte Wandung. Der weiche Übergang zum Rand gerade noch erhalten.
Innen: Abwechselnd mehrere Umlauflinien und breite Umlaufbänder.
Außen: Umlaufstreifen. Übrige Wandung und Henkel dunkel überzogen.
Brann, Hesp. 30 (1961) L 33 Taf. 20.

61. Athen, Agora Mus. P 20699.   Beil. G 1
H. 5–5,2. Dm. ca. 13.
Aus Brunnen R 12:2 von der Agora, Agora VIII 131.
Form: Die gewölbte Wandung gleitet in den ausladenden Rand über. Standfläche.
Innen: Abwechselnd drei konzentrische

Kreislinien und ein breiter konzentrischer Streifen.
Außen: Umlaufstreifen. Übrige Wandung dunkel überzogen.
Henkel: nicht mehr zu erkennen, wahrscheinlich ebenfalls dunkel überzogen. Boden: tongrundig.
Brann, Agora VIII Nr. 145 Taf. 8.

III. SCHALEN OHNE FUNDANGABE
(alphabetisch nach Museen)

62. Athen, Nat.Mus. 874.   Taf. 14
H. 7,7. Dm. 16.
Aus Athen.
Form: Abgesetzter Rand. Gewölbte, im unteren Teil fast gerade Wandung. Abgesetzter Fuß. Standfläche.
Innen: Stehende gegitterte Dreiecke; Schachbrett. Reigen von Männern und Frauen in langen Röcken: Mann mit Schwert eine Leier spielend, hinter ihm zwei Frauen sich an den Händen haltend, einzelner Mann mit Schwert und Leier (?), vier einzelne Frauen, vier Frauen sich an den Händen haltend, Mann mit Schwert und Leier (?), vier Männer (die beiden ersten mit Schwert) und drei Frauen, alle sich an den Händen haltend, dazwischen Füllornamente (vertikale Winkelreihen zwischen den Figuren, gegitterte Rauten, Swastika?). Wolfszahn aus gegitterten Dreiecken; schraffiertes Vierblatt mit vier Zwischenblättchen.
Außen: Umlauflinien. Je vier Dreifußkessel zwischen vertikalen Strichen. Umlauflinien; breiter Umlaufstreifen, der auch den Fuß bedeckt.
Henkel: dunkel überzogen. Boden: tongrundig.
Hirschfeld, Annali (1872) 142 Nr. 39. Karouzou, CVA. Athen 2 (1954) Taf. 10 und 11. Tölle 28, 78 Kat. Nr. 8. Wegner, Musik und Tanz, Archaeologia Homerica (1968) U 63 f. Kat. Nr. 31 Abb. 2a. Schweitzer 54 f. Taf. 66 u. 68.

63. Athen, Nat.Mus. 18442. Taf. 16 u. Beil. C7
H. 6. Dm. 13,2–13,7.
Ehem. Slg. Empedokles[10].
Form: Abgesetzter, gerade ausladender Rand. Im oberen Teil stark gewölbte Wandung. Bodenfläche eingetieft, so daß ein schmaler Standring stehenbleibt.
Innen: Gruppen kurzer vertikaler Striche. Flüchtig gemalte Vogelreihe mit schrägen Punktlinien; kurze radiale Striche. Wagenrad mit gepunkteten Rauten.
Außen: Tupfenreihe. Feld mit vertikalen Zickzacklinien zwischen Triglyphen aus Schrägstrichen. Schachbrett; hängende gegitterte Dreiecke.
Henkel: Querstriche. Boden: um den Standring eine konzentrische Kreislinie.
Young, Hesp. Suppl. II (1939) 152. Papaspyridi – Karouzou, Ἀγγεῖα τοῦ Ἀναγυροῦντος (1963) Abb. 53 Anm. 2.

64. Athen, Nat.Mus. 18486.
H. 6. Dm. 12,5.
Ehem. Slg. Empedokles.
Form: Der ausladende Rand ist mit einer Rille von der gewölbten Wandung abgesetzt. Gedrungener, abgesetzter Fuß mit abgerundeter Kante. Standfläche.
Innen: Schachbrett, drei Umlauflinien. Wandung tongrundig bis auf zweimal drei konzentrische Kreise. Strichstern.
Außen: Ein Umlaufstreifen. Übrige Wandung, Fuß und Henkel dunkel überzogen. Boden: tongrundig.
Young, Hesp. Suppl. II (1939) 152.

65. Athen, Nat.Mus. 18488.
H. 5. Dm. 13,2.

---

10 Nach Young, Hesp.Suppl. II (1939) 152 sollen in der Slg. Empedokles fünf Schalen dieses Typs sein; im Athener Nationalmuseum, wo sich die Slg. Empedokles befindet, ließen sich aber nur vier dieser Schalen (hier Nr. 63–66) finden.

Ehem. Slg. Empedokles.
Form: Abgesetzter ausladender Rand. Knapp gewölbte Wandung. Standfläche.
Innen: Punktreihe, Umlaufstreifen. Abwechselnd breites konzentrisches Band und mehrere konzentrische Kreislinien. Strichkreuz.
Außen: Umlauflinien. Feld mit vertikalen gebrochenen Linien zwischen senkrechten Strichen. Fünf feine Umlauflinien, drei breitere Umlaufstreifen.
Henkel: Querstriche. Boden: tongrundig.
Young, Hesp. Suppl. II (1939) 152.

66. Athen, Nat.Mus. 18665.   Beil. F 3
H. 5,6–6,1. Dm. 15,2–15,4.
Ehem. Slg. Empedokles.
Form: Weicher Übergang zwischen der etwas bauchigen Wandung und dem ausladenden Rand. Unten eine Einziehung. Standfläche.
Innen: Kurze radiale Striche, zwei Umlaufstreifen, Schachbrett. Konzentrische Kreislinien. Strichkreuz mit Tupfen dazwischen.
Außen: Umlaufstreifen. Wandung und Henkel dunkel überzogen.
Boden: tongrundig.
Young, Hesp. Suppl. II (1939) 152.

67. Athen, British School Mus. A 343.
                                        Beil. A 6
H. 5,7–6. Dm. 12–13.
Aus dem Besitz von T. J. Dunbabin, 1955.
Form: Weicher Übergang zwischen gewölbter Wandung und ausschwingendem Rand. Abgesetzter, schmaler kantiger Fuß. Bodenfläche eingetieft, so daß ein schmaler Standring stehenbleibt.
Innen: Zickzack. Vogelreihe mit schrägen Punktlinien; Zickzack. Wagenrad mit Punktrosetten.
Außen: Zickzack. Vogelreihe mit schrägen Punktlinien zwischen vertikalen Strichen. Zickzack; stehende gegitterte Dreiecke mit Punkten dazwischen.
Henkel: Punktreihe. Boden: Punktreihe, Kreis, Rosette aus acht lanzettförmigen

schraffierten Blättern, in den Zwickeln jeweils ein Punkt.
Coldstream 68 X.26.

68. Basel, Slg. Erlenmeyer.
                        Taf. 28–29 u. Beil. F 5
H. 5,5. Dm. 13,1–13,3.
Form: Die knapp gewölbte Wandung gleitet in den wenig ausladenden Rand über. Kantig abgesetzter Fuß. Standfläche. Henkel biegen sich nach unten.
Innen: Umlauflinien. Drei nach rechts schreitende Rinder mit einem nach vorn gerichteten Horn; der Kopf ausgespart mit Innenzeichnung und Strichelung; der als Wellenlinie gegebene Schwanz teilt sich unten in eine Quaste aus drei Wellenlinien; als Füllmotive Zickzack und vertikale Winkelreihen. Konzentrische Kreislinien; flüchtig gezeichneter Stern aus sieben gegitterten Dreieckszacken, in den Zwickeln längliche Tupfen.
Außen: Umlauflinien. Feld mit dreifachem Zickzack – auf der anderen Seite mit vertikal gebrochenen Linien – zwischen Triglyphen aus waagrechten Strichen und dreifachem Zickzack. Umlauflinien, unten eine breite dunkle Zone. Am Fuß kurze vertikale Striche.
Henkel: Querstriche. Boden: mehrere konzentrische Kreise.

69. Basel, Kunsthandel.
H. 5,4. Dm. 12,7.
Form: Abgesetzter Rand. Bauchige Wandung, unten eingezogen. Standfläche.
Innen: Konzentrische Kreislinien.
Außen: Umlaufstreifen. Übrige Wandung und Henkel dunkel überzogen.
Boden: konzentrische Kreise.
Münzen und Medaillen A.G., Auktion XVI (30.6.1956) Nr. 61.

70. Bonn, Akademisches Kunstmus. V.I.1632.
                        Taf. 3 und Beil. A 3
Fragmentiert. H. 6,2. Errechneter Dm. 14,5–14,8.
Form: Abgesetzter gerader Rand. Gewölbte

Wandung. Abgesetzter Fußwulst. Standfläche schwach konkav.

Innen: Schachbrett. Vogelreihe mit schrägen Punktlinien; gepunktete Kreistangentenkette; Rautenkette. Punktreihe; Wagenrad mit Punkten zwischen den Speichen.

Außen: Schachbrett. Vogelreihe mit schrägen Punktlinien, am rechten Bruchrand von senkrechten Strichen begrenzt. Rautenkette; Schachbrett; Zickzack. Fuß dunkel überzogen.

Boden: Wagenrad mit gepunkteten Kreisen.

Schweitzer, AM. 43 (1918) 143 Anm. 1. Cook, BSA. 42 (1947) 152 Anm. 2.

71. Brüssel, Musées Royaux A 2113.

Taf. 25 b

H. 4,5. Dm. 12,5.

Kunsthandel.

Form: Abgesetzter gerader Rand. Gebauchte Wandung mit leichter Einziehung unten. Standfläche.

Innen: Schachbrett. Vier weidende Pferde nach rechts und ein großer stelzbeiniger Vogel, zahlreiche Füllmotive (Zickzack, vertikale Winkelreihen, gegitterte Rauten, Stundenglas, kleine Vögel). Kurze radikale Striche; achtstrahliger Strichstern.

Außen: Zickzack. Feld mit dreifachem Zickzack zwischen Triglyphen mit Schrägstrichen und vertikalen Winkelreihen. Zickzack; Umlauflinien, die unterste etwas breiter.

Boden: tongrundig.

Mayence et Verhoogen, CVA. Brüssel 3 (1949) III G Taf. 3,2. Coldstream 79 XVIII.44. Ker. VI,2 584 Nr. 96.

72. Dresden, Staatliche Kunstsammlungen, Skulpturensammlung ZV 1476.   Taf. 33a

H. 5,5 Dm. 13,3.

Form: Die knapp gewölbte Wandung gleitet in den ausladenden Rand über. Verhältnismäßig breite Bodenfläche.

Innen: Konzentrische Kreise.

Außen: Umlaufstreifen. Hängende gegitterte Dreiecke mit kleinen Kreisen in den Zwik-

keln, zwischen senkrechten Strichen. Umlaufstreifen.

Henkel: dunkel überzogen. Boden: tongrundig.

Schweitzer, AM.43 (1918) 143 Anm. 1.

73. Edinburgh, Royal Scottish Museum 1956.422   Taf. 8–9

H. 5,4. Dm. 12,7–12,9.

Form: Abgesetzter ausladender Rand. Knapp gewölbte Wandung. Abgesetzter Fuß. Boden leicht konkav.

Innen: Zickzack. Figürliche Zone: zwei einander zugewandte Rinder mit ausgespartem Auge; Kopf, Hals, Schulter- und Rückenpartie gegittert, ihre Hörner reichen bis auf den Rand; nach der anderen Seite ein Löwe mit aufgerissenem Maul, ausgespartem Auge und gegitterter Mähne, ein »Panther« mit gegittertem Halsansatz, der seinen quadratischen Kopf mit Diagonalkreuz, Augen- und Maulangabe herauswendet, dazwischen wenige Füllmuster (von Punkten umgebener Kreis zwischen den Rinderköpfen, gegitterte Raute, Stundenglas). Wolfszahn aus gegitterten Dreiecken; Strichstern.

Außen: Punktreihe. Vogelreihe mit schrägen Punktlinien zwischen Triglyphen mit Schrägstrichen, vor dem Henkel Punktrosette auf Punktlinie. Gepunktete Rautenkette; Zickzack. Fuß schwarz.

Henkel: Punktreihe. Boden: vier konzentrische Kreise.

Webster 10 ff. Nr. 15 Taf. IIa. Cook, BSA 35 (1934–35) 191 Anm. 2. Coldstream 68 X.28. Schweitzer, 49 Anm. 67 Nr. 9. Ker. VI,2 583 Nr. 94.

74. Edinburgh, Royal Scottish Museum 1956.423.   Taf. 4

H. 5,1. Dm. 13,9–14,3.

Form: Abgesetzter, fast gerader Rand. Gebauchte Wandung. Abgesetzter wulstiger Fuß. Standfläche.

Innen: Schachbrett. Vogelreihe mit schrägen Punktlinien; gepunktete Rautenkette. Punktreihe; Vierblatt und gegitterte Dreiecke.

Außen: Umlauflinien. Übrige Wandung sowie Fuß und Henkel dunkel überzogen. Boden: tongrundig.
Webster Nr. 5 Taf. IIb. Coldstream 68 X.22. Ker. VI,2 583 Nr. 92.

75. Hobart, John Elliott Classics Museum
Nr. 8.   Taf. 31
H. 6,3. Dm. 14–14,5.
Form: Leicht abgesetzter Rand. Wenig gebauchte Wandung. Abgesetzter Fuß. Standfläche.
Innen: Gruppen je sechs kurzer vertikaler Striche. Stehende gegitterte Dreiecke, dazwischen jeweils dreifacher Zickzack; Stern aus zwölf gegitterten Dreieckszacken. Wagenrad mit Punktrosetten.
Außen: Punktreihe. Rautenkette zwischen vertikalen Strichen. Schachbrett; Zickzack. Am Fuß breiter Umlaufstreifen.
Henkel: Querstriche. Boden: vier konzentrische Kreise.
Hood, Greek Vases in the University of Tasmania (1964) 14 Nr. 8 Taf. IIe.

76. Kiel, Slg. des Archäologischen Instituts
B 86.
H. 5,2 Dm. 10.
Form: Die wenig gewölbte Wandung biegt oben zur Bildung des Randes um. Unten leichte Einziehung. Gerade Standfläche.
Innen: Vertikale Wellenlinien. Abwechselnd schmale und ein breiter Umlaufstreifen. Hängende gegitterte Dreiecke. Konzentrische Kreise.
Außen: Zickzack. Stehende gegitterte Dreiecke, dazwischen dreifacher Zickzack. Breite dunkel gemalte Zone zwischen Umlauflinien.
Henkel: Querstriche. Boden: konzentrische Kreise.
Kunze 76 Anm. 6.

77. Laon, Mus. 37772.
H. 5,5. Dm. 13,3.
Form: Flacher gewölbter Körper mit bedeutend höherem, ausladendem Rand, der nach

einem deutlichen Knick nach innen ansetzt. Die Henkel sitzen sehr tief. Standfläche.
Innen: Vogelreihe; Zickzack. Rosette aus neun lanzettförmigen schraffierten Blättern um zwei kleine konzentrische Kreise, in die Zwickel ragen gegitterte Dreiecke.
Außen: Umlauflinien. Übrige Wandung und Henkel dunkel überzogen.
Boden: tongrundig.
De la Genière, CVA. Laon 1 Taf. 2,6 und 9.

78. London, Brit. Mus. 1895. 7–20.11 Taf. 27
H. 4,6. Dm. 12,2.
Form: Die leicht bauchige Wandung biegt oben weich nach außen um zur Bildung des Randes. Unten eine leichte Einziehung. Die tief sitzenden Henkel biegen sich nach unten. Bodenfläche leicht konkav.
Innen: Gruppen kurzer vertikaler Striche. Vier Pferde nach rechts, dazwischen Füllmotive (Zickzack, vertikale Winkelreihe, M-Muster). Zickzack; drei konzentrische Kreise.
Außen: Umlaufstreifen. Zweifacher Zickzack zwischen vertikalen Strichen. Umlaufstreifen, der unterste breiter.
Henkel: Querstriche. Boden: vier konzentrische Kreise.
Pfuhl, MuZ. I 71 (unter der alten Nummer des geplanten Katalogs A 483). Langlotz, Griechische Vasen in Würzburg (1932) zu Nr. 58. Webster 10 Nr. 3.

79. London, Brit. Mus. 1950. 11–9.1.
                        Taf. 11 und Beil. B 3
H. 6,1. Dm. 14,5.
Form: Leicht abgesetzter, wenig ausladender Rand. Gewölbte Wandung. Standfläche.
Innen: Schachbrett. Fries mit dreizehn sitzenden Figuren auf einem Stuhl mit gegittertem Sitz und hoher Lehne, von der ein gegittertes Dreieck nach hinten ragt; die Personen halten in den vorgestreckten Händen eine zweizinkige Gabel (?), zwischen deren Zinken mit einem Stab geschlagen wird; Schachbrett. Strichkreuz, in den Zwickeln gegitterte Dreiecke.
Außen: Punktreihe, zwei Umlaufstreifen.

Vogelreihe mit schrägen Punktlinien zwischen senkrechten Strichen. Umlaufstreifen, unten ein breiter.
Henkel: Punktreihe. Boden: tongrundig.
Davison 61 Abb. 83. Coldstream 68 X.24. Wegner, Opus Nobile, Festschr. Jantzen (1969) 179 Taf. 29,4.

80. Luzern, Privatbesitz.   Taf. 26
H. 6. Dm. mit Henkeln 16,5.
Form: Weich abgesetzter, hoher Rand. Geschwungene Wandung. Abgesetzter schmaler Fußwulst.
Innen: Fünf Zickzackabschnitte. Vier Pferde nach rechts, dazwischen Füllmotive (gegitterte und gepunktete Raute, Stundenglas, vertikale Winkelreihe, M-Muster). Stern aus acht schraffierten Dreieckszacken.
Außen: Umlauflinien. Breites Feld mit dreifachem Zickzack zwischen senkrechten Strichen. Umlauflinien. Henkel: Querstriche.

81. Luzern, Kunsthandel, ehem. Slg. Meißner.*
H. 6. Dm. 13,5.
Form: Abgesetzter hoher Rand. Gewölbte Wandung.
Innen: Punktreihe, Umlauflinien, Kreistangentenkette, konzentrische Kreislinien. Kreismotiv mit Dreiecken, die ein Kreuz freilassen.
Außen: Rautenkette. Wolfszahn aus gegitterten Dreiecken, auf der anderen Seite Gittermuster. Umlauflinien. Vor dem Henkel Kreuzchen.
Henkel: Querstriche.
Ars Antiqua A.G. Luzern, Angebot Dezember 1964, Nr. 64.

  * Jetzt in Nir David, Museum of Mediterranean Archeology, Inv. 72-5509.

82. Malibu, J. Paul Getty Museum, Leihgabe der Slg. Hans Cohn L73.AE.26.
H. 5,7. Dm. 14.
Form: Abgesetzter gerader Rand. Geschwungene Wandung. Standfläche.
Innen: Gepunktete Rautenkette mit Punkten zwischen den Spitzen. Vier Pferde mit Reitern, dazwischen jeweils ein Krieger mit Dipylonschild, Helm und zwei Speeren, als Füllornamente: stehende und hängende gegitterte Dreiecke, viergeteilte Rauten mit Punkten, vertikale Reihe von M-Mustern und von Winkelhaken, Zickzack, Strichsternchen. Schachbrett; Kreis mit radialen kurzen Strichen an der Außenseite, gepunktete Kreistangentenkette, Strichstern.
Außen: Vertikale Striche zwischen Umlauflinien. Feld mit fünffachem Zickzack zwischen vertikalen Bändern mit Schrägstrichen, vor dem Henkel ein Strichstern auf Punktlinie. Schachbrett; hängende gegitterte Dreiecke mit Punkten dazwischen; Umlaufstreifen, der unterste breiter.
Henkel: Tupfenreihe. Boden: vier konzentrische Kreise mit Punkt.
Hood, in The J. Paul Getty Museum Journal I (1974) 95 ff. Abb. 1–2.

83. Manchester, University III H 43.   Taf. 6
H. 6,5. Dm. 13,2.
Form: Schwach abgesetzter, leicht ausladender Rand. Wenig gebauchte Wandung. Abgesetzter Fuß. Boden leicht konkav.
Innen: Rautenkette. Vogelreihe mit schrägen Punktlinien. Punkttangentenkette; schraffiertes »Malteserkreuz«.
Außen: Rautenkette. Vogelreihe mit schrägen Punktlinien zwischen senkrechten Strichen. Rautenkette; Umlauflinien; unten zwei breite Umlaufstreifen. Henkel: Punktreihe. Boden: drei konzentrische Kreise.
Webster Taf. I Nr. 16. Coldstream 68 X.23. Ker. VI,2, 585 Nr. 104.

84. München, Mus. antiker Kleinkunst 6029.
            Taf. 17 u. Beil. D 4
H. 6. Dm. 14,3–14,5.
In Athen erworben.
Form: Knappe, kaum gewölbte Wandung, die oben leicht zum schmalen geraden Rand nach außen biegt. Standfläche.
Innen: Schachbrett. Reigen von dreizehn Kriegern mit Helm, zwei Speeren und Schild

(abwechselnd zwei viereckige und ein runder Schild mit verschiedenen Schildzeichen), die sich an den Händen fassen. Kurze radiale Striche; achtstrahliger Strichstern mit Punkten. Außen: Zwei Punktreihen. Feld mit dreifachem Zickzack, Triglyphen mit Schrägstrichen und M-Mustern. Schachbrett; Zickzack; Umlaufstreifen.
Henkel: Querstriche. Boden: tongrundig.
Lullies, CVA. München 3 (1952) Taf. 124,3 und 4. Tölle, 77 Kat.Nr. 9. Wegner, Kat. Nr. 112. Ker. VI,2 583 Nr. 95, Kauffmann-Samaras, RA. (1972) 29f. Abb. 6.

85. München, Mus. antiker Kleinkunst 6220.
Taf. 2 u. Beil. A 1
H. 8,2–8,7. Dm. 18,4.
Kunsthandel Athen.
Form: Abgesetzter gerader Rand. Geschwungene, etwas ausladende Wandung. Abgesetzter, wulstiger Fuß. Am Boden eine Art Fußring leicht nach innen abgeschrägt, die übrige Bodenfläche eben.
Innen: Schachbrett. Vogelreihe mit schrägen Punktlinien; gepunktete Rautenkette; Punkttangentenkette. Zickzack; Punktreihe; Wagenrad mit Punktrosetten zwischen den Speichen.
Außen: Punkttangentenkette. Vogelreihe mit schrägen Punktlinien zwischen senkrechten Strichen, vor dem Henkel eine Punktrosette auf zwei Punktlinien. Gepunktete Rautenkette; Zickzack; Punktreihe; breiter Umlaufstreifen. Fuß schwarz.
Henkel: Punktreihe. Boden: tongrundig.
Lullies, CVA. München 3 (1952) Taf. 124,1 und 2. Coldstream 68 X.20. Ker. VI,2, 584 Nr. 100.

86. München, Mus. antiker Kleinkunst 6229.
Beil. D 5
H. 5,9. Dm. 13,9–14,5.
Aus dem Kunsthandel Athen.
Form: Die schwach gewölbte Wandung biegt zur Bildung des Randes nach außen um. Standfläche.

Innen: Schachbrett. Fünf äsende Rehe mit Füllornamenten (Zickzack, senkrechte Winkelreihen, Kreise mit Punkt). Schachbrett; Wagenrad, zwischen den Speichen je ein Kreis mit Punkt (stark abgerieben).
Außen: Umlaufstreifen. Stehende gegitterte Dreiecke zwischen senkrechten Strichen. Umlaufstreifen.
Henkel: Punktreihe. Boden: tongrundig.
Lullies, CVA. München 3 (1952) Taf. 125,1 und 2.

87. München, Mus. antiker Kleinkunst 6401.
Beil. F 10
H. 3,7–3,8. Dm. 9–9,1.
Aus der Slg. Arndt.
Form: Breiter, weich abgesetzter Rand. Abgesetzter Fuß. Bodenfläche konkav.
Innen: Punktreihe; abwechselnd Gruppen senkrechter Striche und Zickzack. Gebrochene vertikale Linien. Stern aus elf gegitterten Dreieckszacken, konzentrische Kreise, in der Mitte ein Kreuz.
Außen: Umlaufstreifen. Gebrochene vertikale Linien. Zickzack zwischen Umlaufstreifen, der unterste breiter. Punktreihe am Fuß.
Henkel: Querstriche. Boden: vier konzentrische Kreise, in der Mitte ein Kreuz.
Lullies, CVA. München 3 (1952) Taf. 125,5 und 6.

88. München, Mus. antiker Kleinkunst 8506.
Beil. E 4
H. 5,6. Dm. 12,6–13,4.
Aus dem Nachlaß von P. Arndt.
Form: Die knapp gewölbte dicke Wandung gleitet in den ausladenden Rand über. Unten ein kleiner Wulst. Standfläche.
Innen: Kurze vertikale Striche; ausgesparter Zinnenmäander. Sechs äsende Rehe, bei einem sind die Ohren nicht wie sonst als zwei lange Striche gegeben, sondern im Umriß, zwischen den Rehen Füllornamente (Zickzack, Rauten, M-Muster, einmal ein flüchtig gemalter Vogel zwischen den Vorderbeinen eines Rehes). Schrägstriche; achtstrahliger Strichstern.

Außen: Zickzack. Gebrochene vertikale Linien. Zickzack; Umlaufstreifen, der unterste breiter.
Henkel: Querstriche. Boden: drei konzentrische Kreise.
Lullies, CVA. München 3 (1952) Taf. 125,3 und 4. Coldstream 60 VII.45. Ker. VI,2, 584 Nr. 101.

89. Oxford, Ashmolean Mus. 1922.215.
Taf. 35
H. 5,4. Dm. 12,7.
Form: Die gedrungene, bauchige Wandung geht in den hohen Rand über. Unten ein Wulst. Standfläche.
Innen: Umlaufstreifen. Abwechselnd gepunktete Stundengläser und Strichsterne zwischen Punkten; Umlaufstreifen. Kreuz, in den Winkeln gegitterte Dreiecke.
Außen: Rautenkette. Stehende gegitterte Dreiecke und Strichsterne zwischen gegitterten Triglyphen, vor dem Henkel Strichstern auf Punktlinie. Umlaufstreifen, der unterste breiter.
Henkel: Querstriche. Boden: tongrundig.
Webster 10 Nr. 1.

90. Oxford, Ashmolean Mus. 1932.1157
Taf. 33b
H. 5,6. Dm. 12.
Form: Die knapp gewölbte Wandung gleitet in den ausladenden Rand über. Standfläche.
Innen: Dunkel überzogen.
Außen: Punktreihe. Gepunktete Rautenkette mit Volutenhaken zwischen senkrechten Strichen. Schachbrett; Zickzack; Umlauflinien.
Henkel: Punktreihe. Boden: vier konzentrische Kreise.
Webster 10 Nr. 7.

91. Paris, Louvre CA 1633.
H. 6. Dm. 15,3.
»Aus Theben«.
Form: Die knappe, kaum gewölbte Wandung setzt sich gerade nach oben im Rand fort. Nach unten leichte Einziehung, unten schwacher Wulst. Standfläche.

Innen: Zickzack zwischen Umlauflinien. Drei weidende Rehe und ein Vogel, dazwischen Füllornamente (Zickzack, Swastika, Raute). Zickzack; Wagenrad.
Außen: Kurze vertikale Striche; Umlauflinien. Kurze vertikale Striche. Umlauflinien; unten breite schwarze Zone.
Henkel und Boden dunkel überzogen.
Kauffmann-Samaras, CVA. Louvre 16 (1972) Taf. 36,2 und 4.

92. Paris, Louvre CA 1781.
H. 4,9. Dm. 12,5.
»Aus Böotien«.
Form: Die gebauchte Wandung biegt zum Rand nur wenig nach außen. Nach unten zum wulstartigen Abschluß hin eine deutliche Einziehung. Standfläche.
Innen: Gruppen vertikaler Striche. Umlauflinien. Im Kreisfeld ein Tier mit zurückgewandtem Kopf und erhobenem Schweif (Löwe?), dazwischen Füllornamente (Zickzack, Raute, ein Vogel).
Außen: Umlauflinien. Feld mit zweifachem Zickzack zwischen senkrechten Strichen. Umlauflinien.
Henkel: Querstriche. Boden: ein Kreis.
Kauffmann-Samaras, CVA. Louvre 16 (1972) Taf. 36,1 und 2.

93. Würzburg, Martin von Wagner-Mus. L.58.
Taf. 22 u. Beil. E 6
H. 4,3–4,4. Dm. 12,8. Stark fragmentiert.
Form: Weich abgesetzter gerader Rand. Gebauchte dicke Wandung. Standfläche.
Innen: Umlauflinien. Vier schreitende Löwen mit erhobener Vordertatze, dazwischen Füllornamente (Zickzack und Kreise). Vierstrahliger Stern mit ausgespartem Kreis in der Mitte.
Außen: Umlauflinien. Feld mit zweifachem Zickzack zwischen senkrechten Strichen. Umlauflinien.
Henkel: Querstriche. Boden: drei konzentrische Kreise.
Langlotz, Griechische Vasen in Würzburg (1932) Nr. 58 Taf. 4 und 5. Canciani, AA. 1968,

128 Anm. 17. Coldstream 60 VII.47. Ker. VI,2, 585 Nr. 103.

94. Würzburg, Martin von Wagner-Mus. H. 5051.   Taf. 19 u. Beil. E 5
H. 5,3. Dm. 14,6–15,1.
Form: Die knapp gewölbte dünne Wandung biegt oben weich zur Bildung des Randes nach außen. Standfläche.
Innen: Punktreihe; Schachbrett. Sieben äsende Rehe, dazwischen Füllornamente (Zickzack, gegitterte Raute); Zickzack. Strichstern mit ausgefülltem dicken Mittelkreis.
Außen: Kurze vertikale Striche. Breites Feld mit zweifachem Zickzack zwischen senkrechten Strichen. Zickzack; zweifacher Zickzack; Zickzack.
Henkel: Punktreihe. Boden: tongrundig (zwei eingeritzte konzentrische Rillen).
Canciani, AA. 1968, 127f. Abb. 6 und 7. F. Hölscher, CVA. Würzburg 1 (1975) Taf. 15,1–3.

95. Aufbewahrungsort unbekannt. Photo im Archäologischen Institut Heidelberg.
                                        Taf. 25a
Innen: Punktreihe, zwei Umlauflinien, Schachbrett. Fries mit sechs nach rechts schreitenden Pferden, zwischen ihnen ein sich aufrichtender Hund mit erhobener Vorderpfote, dazwischen Füllmotive (Zickzack, vertikale Winkelreihe, Stundenglas, stilisierter Dipylonschild, Raute, vertikale Schlangenlinie, Silhouettenvogel). Kurze radiale Striche; Strichstern.
Henkel: Querstriche.
Die Schale der Slg. Vlastos ist zitiert bei: Lane, BSA. 34 (1933–34) 104. Möglicherweise handelt es sich um die bei Hood, The J. Paul Getty Museum Journal I (1974) 96, Anm. 8 zitierte Schale; er sieht in dem aufgerichteten Hund einen Löwen.

Die Fundzusammenhänge der Schalen

I. FUNDORTE DER SCHALEN

Nahezu alle Schalen, über deren Fundumstände Näheres bekannt ist, stammen aus Athen und Attika. In Athen wurden die meisten in den großen geometrischen Nekropolen gefunden: am Kerameikos sowie der Fortsetzung der Nekropole an der Piräusstraße, auf der Agora, am Südabhang der Akropolis beim Nymphenheiligtum und im Kynosarges-Gebiet. Sie wurden sowohl männlichen wie weiblichen Toten als Beigabe ins Grab mitgegeben[11]. Einige Schalen kommen aus Brunnen von der Agora. Ein großer Teil stammt von verschiedenen Nekropolen in Attika: Kallithea, Trachones, Glyphada, Anavysos, Thorikos, Merenta, Spata und Eleusis. Damit ist – abgesehen vom Stil – ein weiteres Argument für den attischen Ursprung der Schalen gewonnen. Nur drei Exemplare, Nr. 53.54.55, wurden außerhalb Attikas in Gräbern auf Thera gefunden, wie auch viele andere importierte Stücke der attischen Keramik[12]. In den geometrischen Keramikwerkstätten anderer Landschaften läßt sich dieser Schalentyp nicht nachweisen[13]. Es handelt sich offenbar um eine besondere Erfindung der attischen Töpfer.

II. DIE CHRONOLOGIE DER FUNDZUSAMMENHÄNGE

Soweit die Herkunft der Schalen aus Grabungen bekannt ist, stammen sie aus Gräbern und Brunnen. Wenn die Gefäßbeigaben eines geschlossenen Grabfundes auch nicht genau gleichzeitig sein müssen, so zeigen sie doch einen verhältnismäßig eng begrenzten Abschnitt der Keramikentwicklung. Die Brunnen wurden längere Zeit benutzt, während derer bereits einige Stücke in den Schacht gelangten. Wenn die Brunnen außer Gebrauch kamen, wurden sie aufgefüllt. In dieser Füllung ist ebenfalls Keramik enthalten. So repräsentieren die Keramikfunde eines Brunnens zwar auch einen begrenzten Ausschnitt der Keramikentwicklung, der sich aber natürlicherweise über einen längeren Zeitraum erstreckt[14].

Die Chronologie der Fundzusammenhänge der Schalen ist die Grundlage für die zeitliche Folge

---

11 Frauengräber: Ker.Gr. 79 mit Nr. 6 Ker.Gr. 93 mit Nr. 7. Ker.Gr. 94 mit Nr. 8. Dipylon Gr. VII mit Nr. 24. Wohl auch Spata Gr. 3 mit Nr. 46 und 47.
Männergräber: Ker.Gr. HS 291 mit Nr. 11. Agora Gr. XI mit Nr. 27. Thorikos Gr. 84 mit Nr. 48. Wohl auch Agora Gr. XXV mit Nr. 26.
Vgl. auch Kübler, Ker. V,1, 28.
12 Die Herkunftsangaben »Theben« und »Böotien« für die beiden Pariser Schalen Nr. 87.88, die wohl Angaben von Kunsthändlern sind, können hier nicht als ernsthafte Fundangaben gewertet werden.
13 Gewisse Ähnlichkeiten in der Form zeigen außerhalb

Attikas vereinzelte Gefäße: ein Beispiel des lakonisch geometrischen Stils, BSA.34 (1933–34) 103f. Abb. 2 M, und einige argivisch geometrische Beispiele, Courbin, La céramique géométrique de l'Argolide (1966) 503 Taf. 47 C 2431 u. a., vgl. Coldstream 216 Anm. 4. Hier wäre auch eine Entlehnung aus dem Attischen denkbar. Wenn man die Innendekoration betrachtet, besteht allerdings keine Verbindung zu unserer attischen Gattung. Die außerattischen Beispiele sind alle innen ganz dunkel überzogen bis auf einige sparsame Strichverzierungen oder Umlaufstreifen am Rand.
14 Brann, Agora VIII 107 ff. Brann, Hesp. 30 (1961) 98.

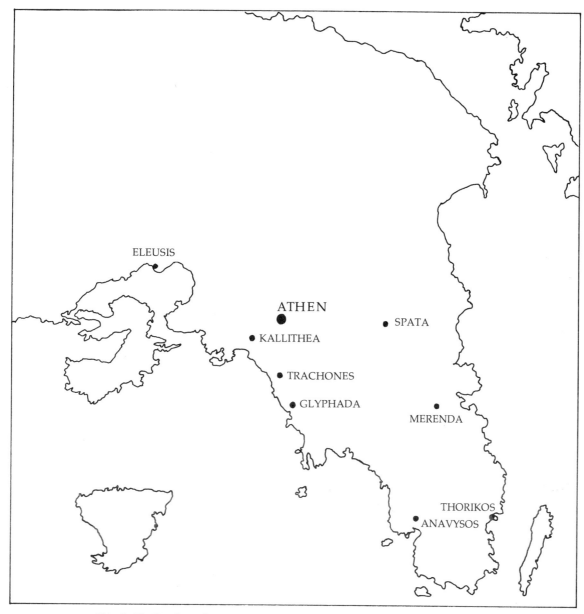

Abb. 2. Die Fundorte der geometrischen Keramikschalen in Attika.   M 1:500 000

ihrer Entwicklungsstufen. In der Datierung der attisch geometrischen Keramik, deren Entwicklungsablauf im Großen als gesichert angesehen werden kann, schließe ich mich der Einteilung Coldstreams in drei große Perioden an, da sie dem heutigen Stand der Forschung am besten gerecht wird[15]. Zum Vergleich sei hier eine Übersicht über die vier wichtigsten Chronologien gegeben.

15 Coldstreams Dreiteilung basiert hauptsächlich auf den Arbeiten von Young, Hesp.Suppl. II (1939) 231 ff., J. M. Cook, BSA.42 (1947) 139 ff., Brann, Hesp. 30 (1961) 95 ff., Brann, Agora VIII und Davison, die sich besonders mit der spätgeometrischen Periode beschäftigt haben.

Große Ähnlichkeit damit zeigt das System von Bouzek, Sbornik 13 (1959) 110 und ders., Homerisches Griechenland (1969) 205 f. Auch Kübler, Ker. V,1 unterteilt – beruhend auf detaillierten stilistischen Untersuchungen – in drei große Perioden, allerdings ist seine absolute Datie-

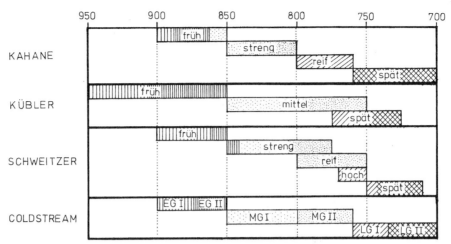

Abb. 3. Vergleichende Tabelle der verschiedenen Chronologien für die attisch geometrische Keramik.
Gleiche Schraffur oder Pünktelung bedeutet gleiche Keramik.

Coldstreams Chronologie beruht auf der sorgfältigen Beobachtung und Zusammenstellung geschlossener Fundgruppen, die er innerhalb der großen Perioden – Frühgeometrisch (FG), Mittelgeometrisch (MG) und Spätgeometrisch (SG) – in verschiedene Phasen unterteilt. Er hat in seinen Zusammenstellungen der Fundgruppen auch eine Anzahl der Gräber und Brunnen mit Schalen eingeordnet; darin folge ich ihm weitgehend. Die bei Coldstream nicht genannten Fundzusammenhänge werden durch Vergleich mit anderen Fundgruppen in die Reihe eingefügt und annähernd datiert, ebenso wie die inzwischen neu hinzugekommenen Funde.

Die datierbaren Fundzusammenhänge:

Ker.Gr. 34[16], Nr. 3	MG II (Schale ist SG II)
Agora Br. »L« (S 18:1), Nr. 57–60	Übergang SG Ib–SG IIa
Spata Gr. 3, Nr. 46.47	Übergang SG Ib–SG IIa
Agora Gr. XXV, Nr. 26	SG IIa
Ker.Gr. HS 291, Nr. 11	SG IIa

rung zu früh (dazu Bouzek, Sbornik 13, 1959, 106 ff.). Die Einteilung in vier oder sogar fünf Stilperioden, wie sie Kahane, AJA.44 (1940) und Schweitzer, Die geom. Kunst, vorgenommen haben, sind von dem Bestreben geleitet, den Erzeugnissen der Dipylon-Werkstatt eine eigene Periode zu geben. Seit man jedoch mit Kahane begonnen hat, im Spätgeometrischen nach einzelnen Werkstätten zu unterscheiden, gliedert sich die attisch geometrische Periode wesentlich nach Werkstattstilen auf. So steht die Dipylon-Werkstatt sehr sinnvoll am Beginn der spätgeometrischen Periode (SG), denn hier beginnt in der Bemalung der neue figurenreiche Stil. In der Tradition des Stils der Dipylon-Werkstatt stehen einige Werkstätten bis zum Ende der geometrischen Zeit, vgl. Coldstream 331. Außerdem führt der Dipylon-Meister neue Gefäßformen ein, wie die Kanne mit breitem Hals, die Riesen-Oinochoe und die Steilrandschüssel, die sich bis SG IIb großer Be-

liebtheit erfreuen. Auch hier erweist sich also der Zusammenhang mit den nachfolgenden Werkstätten als sehr eng. Zudem ist es in den Einteilungen von Schweitzer und Kahane ungünstig, daß sie mit ihren Bezeichnungen Reif-geometrisch nicht dieselbe Keramik meinen. Kahanes relative Phasen Streng, Reif und Spät entsprechen ziemlich genau Coldstreams MG II, SG I und SG II; sie gehen allerdings in der absoluten Datierung auseinander, in der Schweitzer am nächsten zu Coldstream steht.

16 Eine merkwürdige Zusammenstellung findet sich in Ker.Gr. 34. Die Skyphoi sowie die Amphorenfragmente gehören offensichtlich in die Periode MG II, die überwiegend tongrundige Schale, deren ganze Oberfläche mit einer ornamentalen Dekoration überzogen ist, weist eindeutig in die Periode SG II.

Ker.Gr. 51a, Nr. 10	SG IIa
Trachones Gr.A 39, Nr. 50	SG IIa
Ker.Gr. 79, Nr. 6	SG IIa
Trachones Gr. Ξ 9, Nr. 52	SG IIa
Akr. Südabhang Gr. 12, Nr. 28	SG IIa
Ker.Gr. 91, Nr. 4.5	SG IIa
Ker.Gr. 93, Nr. 7	SG IIa
Dipylon Gr. VII, Nr. 24	Übergang SG IIa–b
Piräusstr. 57 Gr. XV, Nr. 25	Übergang SG IIa–b
Thorikos Gr. 84, Nr. 48	SG IIb
Ker.Gr. 94, Nr. 8	SG IIb
Ker.Opferrinne 2, Nr. 9	SG IIb
Agora Gr. XI, Nr. 27	SG IIb
Ker.Gr. 70, Nr. 2	SG IIb
Trachones Gr.A 31, Nr. 49	SG IIb
Agora Br.R 12:2, Nr. 61	SG IIb
Agora Br.D 11:5, Nr. 56	SG II – Protoattisch
Ker.Gr. 17, Nr. 1	Subgeometrisch
Trachones Gr.A 32 γ, Nr. 51	Subgeometrisch
Kallithea »Gr. I«[17], Nr. 38.39	Subgeometrisch

Einen besonders brauchbaren chronologischen Anhaltspunkt bieten die Gräber mit Breithalskanne:
Spata Gr. 3, Nr. 46.47
Agora Gr. XXV, Nr. 26
Ker.Gr. HS 291, Nr. 11
Ker.Gr. 51a, Nr. 10
Trachones Gr. A 39, Nr. 50
Ker.Gr. 79, Nr. 6
Akr. Südabhang Gr. 12, Nr. 28
Ker.Gr. 93, Nr. 7
Dipylon Gr. VII, Nr. 24
Thorikos Gr. 84, Nr. 48
Trachones Gr. A 31, Nr. 49

Die Form der Kanne mit breitem Hals hat ein verhältnismäßig kurzes Leben. Sie tritt zum ersten Mal in der Dipylon-Werkstatt in SG Ia auf und erreicht ihre Blüte in SG IIa. Die Kannen der SG IIb-Stufe sind mit protokorinthischen Kotylen oder deren attischen Nachahmungen verbunden, so daß wir hier die Entwicklungsstufen der Breithalskannen sogar mit einer außerattischen Chronologie verknüpfen können[18]. In SG IIb sterben die Breithalskannen allmählich aus; im Protoattischen kennen wir kein einziges Beispiel dieser Form. Da die Schalen zusammen mit den Breithalskannen gefunden wurden, müssen sie auch derselben Zeit angehören, also ungefähr der 2. Hälfte des 8. Jhs. v. Chr.

17 Das sog. »Grab I« von Kallithea ist mit Vorbehalt in die Liste aufgenommen, denn die Zusammengehörigkeit zu einem Grabfund ist nicht gesichert.

18 Cook, BSA. 42 (1947) 151ff. Brokaw, AM. 78 (1963) 65ff. Coldstream 34, 47, 65, 79.

III. DIE BEZIEHUNG DER SCHALEN ZU DEN ÜBRIGEN GEFÄSSEN DES GRABINHALTES

Betrachtet man die Beigaben in den attischen Gräbern mit Schalen – denn die beiden ohnedies problematischen Gräber auf Thera geben für attische Gebräuche keinen Aufschluß –, so lassen sich einige besondere Zusammenstellungen ermitteln. In 11 der angeführten 18 Gräber in Abb. 4 finden sich die Schalen zusammen mit Breithalskannen, in Ker.Gr. 93 sind überhaupt nur diese beiden Gefäße vorhanden, die Breithalskanne Ker. 821 und die Schale Ker. 822, Nr. 7. In zwei Fällen treten sie zusammen mit Standard-Oinochoen auf, Ker.Gr. HS 291 und Trachones Gr. A 32γ, wobei in Ker.Gr. HS 291 auch eine Breithalskanne vorhanden ist. Dreimal sind sie mit One-piece-Oinochoen kombiniert, Ker.Gr. 91, Trachones Gr. Ξ 9 und Ker.Gr. 17, das lediglich eine derartige Kanne und eine Schale enthält.

In 15 der untersuchten 18 Gräber sind die Schalen mit Kannen verschiedenen Typs zusammengestellt. Natürlich fällt die Reihe der zahlenmäßig häufigen Breithalskannengräber in die Zeit der großen Beliebtheit dieses Kannentyps, nämlich hauptsächlich in die Phase SG IIa (6 Gräber). Spata Gr. 3 steht am Übergang zu SG IIa, drei weitere Gräber verteilen sich vom Übergang SG IIa–b bis in die Phase SG IIb hinein. Dieser enge Zusammenhang mit der Kanne, in der Flüssigkeiten wie Wasser oder Wein aufbewahrt wurden, deutet darauf hin, daß diese Schalenform als Trinkgefäß gedacht ist[19].

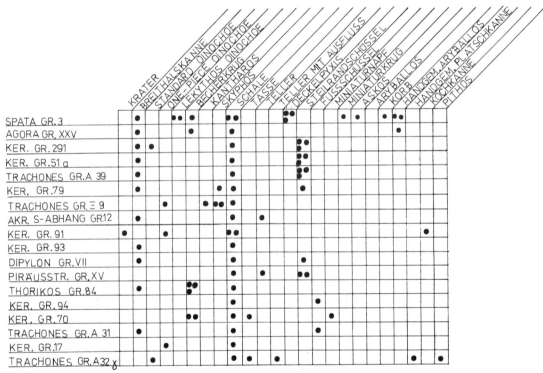

Abb. 4. Die Keramikbeigaben der attischen Gräber mit Schalen.

19 Man deutete die Breithalskannen auch als spezielle Grabvasen, die das Wasser für das Brautbad enthielten, so Brückner, AM. 18 (1893) 145 (die Breithalskanne wird in älteren Publikationen auch Hydria genannt, s.a.O. 111 ff.), Stengel, Opferbräuche bei den Griechen (1910) 140, vgl. auch Cook, BCH. 70 (1946) 98 mit Anm. 1. Tatsächlich erreichen manche der Breithalskannen erstaunliche Größen.

Dies bestätigt eine andere Beobachtung an Gräbern mit Schalen. Nur in zwei Fällen[20] finden sich neben den Schalen auch die üblichen Skyphosformen, an anderen Trinkgefäßen kommen einmal Kantharos und zweimal Tassen vor[21].

Betrachtet man die anderen spätgeometrischen Gräber mit Kannen verschiedenen Typs, so wird deutlich, daß den Schalen mit Innendekoration in der Verwendung offenbar die üblichen Skyphosformen entsprochen haben. Zumindest läßt sich soviel klar sagen, daß Kannenformen im allgemeinen mit Trinkgefäßen kombiniert sind[22]. Für die Breithalskannen lassen sich folgende Gräber anführen:

1. Eleusis, Ephem. 1898, 98 Taf. 4,1.8.9. Coldstream 47. Breithalskanne, 11 Becherkrüge, 2 Skyphoi, Pyxis.
2. Kallithea Gr. 3, Delt. 19 (1964) 65 ff. Taf. 62. Breithalskanne, 2 Skyphoi.
3. Spata Gr. 4, Delt. 6 (1920–21) 138. Breithalskanne, 3 Becherkrüge, Skyphos, Steilrandschüssel, Fußschüssel, Kugelaryballos, Miniaturkännchen.

Im Übergang von SG IIa nach b und in SG IIb tritt an die Stelle des Skyphos die protokorinthische Kotyle oder ihre attische Nachahmung:

4. Spata Gr. 1, Delt. 6 (1920–21) 135 Abb. 2–3. Breithalskanne, attische Kotyle, 3 Becherkrüge, Steilrandschüssel.
5. »Grabgruppe« Slg. Vlasto, AJA. 44 (1940) Taf. 27,1 und Taf. 28,1. Breithalskanne, protokorinthische Kotyle.

In Gräbern mit Standard-Oinochoen[23] und mit den sog. One-piece-Oinochoen[24] finden sich als zugehörige Trinkgefäße hauptsächlich Kantharoi und Tassen, nur in drei Fällen Skyphoi[25].

Die hier zu besprechenden Schalen sind also offensichtlich Trinkgefäße, die in gleicher Verwendung wie die üblichen Skyphoi und später die Kotylen benutzt wurden[26].

Für eine bewußte Kombination von Breithalskanne und Schale spricht die Tatsache, daß in den beiden SG IIa-Gräbern, Ker.Gr. 51a und Trachones Gr. A 39, jeweils gerade diese beiden Gefäße in derselben Werkstatt gefertigt sind, während sich die übrigen Gefäße des Grabes davon unterscheiden. Im Grab Trachones A 39 stammen die Kanne Tr 297 und die Schale Tr 302, Nr. 50, aus der Birdseed-Werkstatt[27]. In der Auswahl der rein ornamentalen Innendekoration schließt sich die

20 Ker.Gr. 79, Nr. 6, Trachones Gr. Ξ 9, Nr. 52. Außerdem auch bei Ker.Gr. 34, Nr. 3, das hier wegen seiner eigenartigen Zusammenstellung von Gefäßen aus sehr weit auseinander liegenden Zeiten ganz außer Betracht bleibt.

21 Kantharos: Trachones Gr. Ξ 9, Nr. 52, außerdem Ker.Gr. 34, Nr. 3. Tassen: Ker.Gr. 70, Nr. 2, Trachones Gr. A 32 γ, Nr. 51.

22 Es gibt allerdings auch einige Zusammenstellungen von Breithalskannen mit Steilrandschüsseln oder Fußschüsseln: Dipylon Gr. XIII, Ker.Gr. 33 und Ker.Gr. 16. Bei der Steilrandschüssel und ihrer weiterentwickelten Form auf hohem Fuß handelt es sich um kein Trinkgefäß, wie Coldstream 86 überzeugend dargelegt hat, sondern um einen Ersatz für die Pyxis, die zu Beginn von SG II ausstirbt. Das würde bedeuten, daß in den genannten Gräbern die Trinkgefäße überhaupt fehlen. Vgl. dazu Gräber, die überhaupt nur eine Kanne enthielten: Vari (Anagyros) Gr. 41β, Delt. 20 (1965) 113 Taf. 78. Agora Gr. XIII, Hesp.Suppl. II (1939) 67 ff.

23 Ker.Gr. 90.56.57.95, Ker. V,1. Agora Gr. VI.XII, Hesp. Suppl. II (1939). Dipylon Gr. IX, AM.18 (1893) 117 f. Taf. 8,2. Thorikos Gr. 85.104, Thorikos IV.

24 Agora Gr. XIV, Hesp.Suppl. II (1939). Marathon Gr. 8, Prakt. 1939, 35 Abb. 6–7. Ker.Gr. 52, Ker.V,1.

25 Ker.Gr. 90, Agora Gr. XIV, Marathon Gr. 8 mit lakainaartigem Skyphos.

26 Coldstream 86 f. klassifiziert die Schale ebenfalls als Trinkgefäß und nennt sie »shallow skyphos«.

27 S. auch Kapitel »Werkstätten«. Die besten Entsprechungen für die Vögel der Schale Tr 302 zeigen die Vögel am Bauch der Hamburger Kanne (Coldstream 67 X. 2), auch hier ist zwischen den Beinen nur ein Punkt gemalt, außerdem der Münchner Krater 6234 (Coldstream 67 X.11) und die Schale München 6220, Nr. 81. Typisches Muster der Birdseed-Werkstatt ist die Folge der Dekoration im Inneren der Schale: Rautenkette – Schachbrett – Zickzack – Rautenkette – Zickzack.
Auf der Kanne fehlen zwar die Vögel, aber durch andere typische Muster und besonders die Zusammenstellung

Schale besonders eng an die ebenfalls rein ornamental verzierte Kanne an. Eine geradezu service-artige Abstimmung zeigen die Kanne Ker. 1314 aus Ker.Gr. 51a und die dazugehörige Schale Ker. 1319, Nr. 10 Taf. 12–13. Die gleichen äsenden Rehe umziehen in einem Fries den Bauch der Kanne und die Friesstreifen der Wandung außen und im Innern der Schale. Am ähnlichsten sind die Rehe außen, die umgekehrt gemalt sind, sie zeigen ganz übereinstimmend mit den Rehen der Kanne die Zickzacklinien über den Rücken und als Füllmuster die gepunkteten Rauten über dem aufgestellten Ohr[28]. Diese deutliche Zusammengehörigkeit spricht sogar für eine bewußte Zusammenstellung von Kanne und Schale als Geschirrsatz schon bei der Herstellung.

und Anordnung der Muster kann sie der Birdseed-Werkstatt zugeschrieben werden. Ein besonders bezeichnendes Muster dieser Werkstatt ist der doppelte Mäander an Hals und Bauch, der die Version des Dipylon-Meisters umkehrt, meist zwischen Rautenketten, vgl. Coldstream 67 X.1.2.3.4.9.11.13.15. Dazu kommt die Vorliebe für die Musterfolge Rautenkette – Schachbrett – Rautenkette, vgl. Coldstream 67 X.4.6.11, und für die Musterfolge Rautenkette – Zinnenmäander – Rautenkette, vgl. Coldstream 67 X.2.10. Das breite Schachbrett auf der Schulter findet sich auch bei Coldstream 67 X.14. Zur Birdseed-Werkstatt allgemein Davison 55–62 und Coldstream 67–70.

28 Davison 63–65 faßte diese beiden Gefäße in der »Knickerbocker«-Werkstatt zusammen. Ihre anderen Zuschreibungen zu dieser Werkstatt konnte Coldstream zu anderen Werkstattzusammenhängen gruppieren, Agora P 4886: Workshop of the Hooked Swastikas, Ker. 385: Workshop of Athens 706.

Die Form

Die Formen der Schalen[29] sind eine gute Hilfe – neben dem Stil der Bemalung – weitere Kriterien für die relative Datierung zu finden. Dies soll in diesem Kapitel auf der Grundlage der Schalengräber versucht werden. In das Gerüst, das sich durch die Schalen aus Fundzusammenhängen gewinnen läßt, können dann die übrigen Schalen mit stilistischen Argumenten eingeordnet werden.

Bei Werkstattzuschreibungen sind sorgfältige Formvergleiche unerläßlich und können interessante Ergebnisse erbringen, wie es vor allem Coldstream[30] für die spätgeometrische Keramik gezeigt hat. Unter diesem Gesichtspunkt sollen die Formen im Kapitel »Werkstätten« behandelt werden.

Bei einer Durchsicht der Schalen mit Innenbemalung ergibt sich eine große Vielfalt an Formen, die beträchtliche Unterschiede in der Gesamtproportion, in den Einzelteilen wie Rand, Körper und Fuß und in der gesamten Ausarbeitung aufweisen. Man findet flache und tiefe Schalen, einige bilden einen Fuß aus, andere stehen einfach auf einer ebenen oder etwas konkav eingezogenen Bodenfläche. Die Höhe des Randes kann stark variieren. Ganz verschieden kann auch das Aussehen der Henkel sein; es gibt von hochsitzenden, schräg nach oben ansteigenden Henkeln bis zu tiefsitzenden, waagrechten oder sogar etwas nach unten hängenden Henkeln alle Zwischenstufen. Immer ist der Querschnitt der Henkel rund.

Fast alle Schalen lassen sich aber trotz der genannten Unterschiede und möglichen Variationen durch ihre Proportionen und durch ihr einheitliches Bemalungssystem zusammenfassen. Daneben gibt es einige wenige Schalen mit stark abweichenden Formen und Proportionen, die weiter unten als Einzelformen behandelt werden sollen.

Die gewöhnlichen Schalen zeigen üblicherweise eine ziemlich einheitliche Größe. Die Maße für den Durchmesser (Dm.) am oberen Rand betragen etwa zwischen 12 und 14 cm, für die Höhe (H.) zwischen 5 und 7 cm. Es gibt aber auch einzelne größere Beispiele mit einem Dm. bis zu 18,7 cm, sowie Miniaturschalen mit 7 cm Dm. und nur 2,7 cm H. Vom schmalen Boden, dessen Dm. etwa 1/3 oder weniger vom oberen Dm. beträgt, steigt die Wandung in einem Winkel von meist 45° an; Ausnahmen sind die flacheren und die besonders steilen Schalen. Der Rand lädt nach einer Einwölbung der Wandung an der Schulter ebenfalls in einem Winkel von ungefähr 45° aus. Für diese Schalenform, der nahezu alle Beispiele angehören, soll versucht werden, eine relative Chronologie aufzustellen und ihre Entwicklung aufzuzeigen.

---

29 Nur für einen Teil der Schalen konnte eine genaue Formuntersuchung am Original vorgenommen und eine Profilzeichnung angefertigt werden. Die übrigen Schalen können nur nach manchmal unzureichenden Photographien beurteilt werden.

30 Coldstream, jeweils in den Kapiteln »Shapes«, bes. 73, 79. Smithson, Rez. Davison, AJA.66 (1962) 423. Für die Verbindungen von Töpfern und Malern später: Beazley, Potter and Painter in Ancient Athens (1944).

I. RELATIVE DATIERUNG DER SCHALENFORMEN

Ausgangspunkt für die relative Datierung müssen die Grabzusammenhänge der Schalen sein. Diese sind mit Hilfe der übrigen Grabbeigaben annähernd in eine relative Folge gebracht (s. 28f.). Die Gräber sind allerdings in der Zusammensetzung keineswegs immer homogen; zur Orientierung bieten sich jedoch die Breithalskannen an. Entwicklung und Abfolge können nach mehreren Untersuchungen weitgehend als sicher gelten[31]. Als besonders wichtig erwies sich dabei die Möglichkeit einer Verknüpfung mit einer außerattischen Chronologie durch mitgefundene protokorinthische Kotylen oder deren attische Nachahmungen. Bei Schalengräbern vom Kerameikos gibt auch der Grabungsbefund Hinweise für die Abfolge der Kerameikosgräber untereinander.

1. Frühe Gruppe (SG IIa)

Stellt man die Schalen aus Gräbern bis Ende SG IIa zusammen (s. 28f.)[32], so erhält man eine Liste, deren Reihenfolge nicht sofort mit einer genauen chronologischen Abfolge gleichgesetzt zu werden braucht:

Agora P 12277, Nr. 59 Beil. C 9	
Agora P 25290, Nr. 60 Beil. C 10	Agora Br. »L«
Agora P 12110, Nr. 57 Beil. C 5	
Agora P 12112, Nr. 58 Beil. C 6	
Athen, Nat.Mus. 15283, Nr. 46 Taf. 18 und Beil. E 1	Spata Gr. 3
Athen, Nat. Mus. 15284, Nr. 47 Taf. 7 und Beil. A 5	
Agora P 3645, Nr. 26 Beil. C 1	Agora Gr. XXV
Ker. 2683, Nr. 11 Beil. C 2	Ker.Gr. HS 291
Ker. 1319, Nr. 10 Taf. 12–13 und Beil. B 1	Ker. Gr. 51a
Trachones Tr 302, Nr. 50 Beil. A 2	Trachones Gr. A 39
Ker. 798, Nr. 6 Beil. C 8	Ker.Gr. 79
Trachones Tr 358, Nr. 52 Beil. C 3	Trachones Gr. Ξ 9
Akr. Südabhang 1959-NAK-27, Nr. 28	Akr. Südabhang Gr. 12
Ker. 787, Nr. 4 Beil. D 3	Ker. Gr. 91
Ker. 788, Nr. 5 Taf. 5 und Beil. A 7	
Ker. 822, Nr. 7 Beil. D 1	Ker.Gr. 93

Die vier Schalen bzw. Schalenfragmente aus Agora-Brunnen »L« dürfen nicht als früher Fixpunkt der Reihe gewertet werden, da ein Brunneninhalt naturgemäß eine lange Zeitspanne repräsentiert. Wenn man nun von den untereinander sehr verschiedenen Schalen aus Spata Gr. 3 ebenfalls

---

31 Kahane, AJA.44 (1940) 482. Cook, BSA.35 (1934–35) 151ff. Brokaw, AM.78 (1963) 64ff.
32 Hierin enger Anschluß an Coldstreams Listen, die ja nur als annähernde relative Folge verstanden werden wollen, da die Zusammensetzung eines Grabinventars selten ganz gleichmäßig ist und nur einen einzigen Zeitpunkt wiedergibt.

absieht, so findet man bei den folgenden Schalen ein verhältnismäßig einheitliches Bild. Sie zeigen einen deutlich akzentuierten Aufbau mit einem – häufig sogar scharf – abgesetzten Rand. Die Wandung ist im oberen Teil stark gewölbt, nach unten läuft sie fast geradlinig konisch zusammen. Einige Schalen haben einen abgesetzten, kantigen oder geraden Fuß; die Schale Ker. 822, Nr. 7 zeigt statt dessen unten eine starke Einziehung der Wandung.

Bei den Gräbern Ker. 51a und Trachones A 39 kann man die Schalen mit einiger Sicherheit den mitgefundenen Breithalskannen zeitlich gleichsetzen, da sie aus derselben Werkstatt wie diese stammen und offenbar als Geschirrsatz gearbeitet sind (s. 31 f.). Das frühe Datum der Kannen, die sich besser einordnen lassen, sichert auch die frühe Stellung der zugehörigen Schalen aus diesen Gräbern. Dazu gesellen sich die Schalen Agora P 3645, Nr. 26 und Ker. 2683, Nr. 11 mit vergleichbar scharf artikulierten Formen. Am Ende der Reihe steht Ker.Gr. 91, dessen eine Schale Ker. 799, Nr. 5 noch einen deutlichen Absatz zwischen Wandung und Rand zeigt, während die Schale Ker. 787, Nr. 4 aus demselben Grab bereits einen gleitenden Übergang zum Rand aufweist.

Schon innerhalb dieser kleinen Gruppe der Phase SG IIa läßt sich also eine bestimmte Entwicklungstendenz ablesen. Die frühesten Beispiele Ker. 1319, Nr. 10, Trachones Tr 302, Nr. 50, Ker. 2683, Nr. 11 und Agora P 3645, Nr. 26 zeigen die klarste Gliederung und die strengste Abgrenzung der Einzelteile. In späteren Beispielen wie Ker. 787, Nr. 4 und 822, Nr. 7 beginnt der Übergang von der Wandung zum Rand weicher und eher gleitend zu werden. Die Schalen aus Spata Gr. 3 würden entsprechend ihren weicheren Formen in die Mitte (Athen, Nat.Mus. 15284, Nr. 47) bis ans Ende (Athen, Nat.Mus. 15283, Nr. 46) dieser Reihe gehören; die Beispiele aus Agora Br. »L« mit z. T. deutlich abgesetzten Formen (Agora P 12110, Nr. 57, P 12112, Nr. 58, P 12277, Nr. 59) ungefähr in die Mitte, in die Nähe von Ker. 788, Nr. 5.

2. Späte Gruppe (SG IIb)

Folgende Liste ergibt sich, wenn man die Schalen aus datierbaren Fundzusammenhängen vom Übergang SG IIa–b bis zum Ende von SG IIb zusammenstellt:

Athen, Nat.Mus. 784, Nr. 24 Taf. 20	Dipylon Gr. VII
Schale aus Piräusstr. 57, Nr. 25	Piräusstr. 57 Gr. XV
Thorikos TC 66.188, Nr. 48	Thorikos Gr. 84
Ker. 1283, Nr. 9	Opferrinne 2
Ker. 857, Nr. 8 Beil. F 1	Ker.Gr. 94
Agora P 5503, Nr. 27 Taf. 24a und Beil. E 3	Agora Gr. XI
Ker. 353, Nr. 2 Beil. F 2	Ker.Gr. 70
Trachones Tr 284, Nr. 49	Trachones Gr. A 31

In dieser Phase findet sich eine außerordentliche Vielfalt ganz verschiedener Formen. Einen Sonderfall stellt die Schale Tr 284, Nr. 49 dar, deren Wandung ungefähr in halber Höhe umknickt und nach unten leicht konkav eingezogen ist. Diese Formvariante zeigen auch die Schalen Ker. 389, Nr. 3 und Brauron, aus Merenta 150, Nr. 44, die auch in der Bemalung der Außenseite weitgehende Übereinstimmungen aufweisen.

Im übrigen bestätigt sich die bereits in SG IIa beobachtete Tendenz zur Verschleifung der Einzelteile, die hier in verstärktem Maße auftritt. Die Wandung gleitet jetzt kaum merklich in den Rand über oder biegt oben weich nach außen um. Ein Fuß fehlt meistens; er kann gelegentlich durch eine feine Rille angedeutet sein, oder man findet unten eine Einziehung. Die Wölbung der Wandung ist nicht mehr so gespannt und in einen oberen, stark gewölbten und einen unteren, fast gerade verlaufenden Teil unterschieden, sondern entweder steil und insgesamt nur leicht nach außen gewölbt, oder stark bauchig.

3. Subgeometrische Schalen

Aus subgeometrischen Fundzusammenhängen stammen folgende Schalen:

Agora P 20699, Nr. 61 Beil. G 1	Agora Br. R 12:2
Agora P 7464, Nr. 56 Beil. G 2	Agora Br. D 11:5
Ker. 348, Nr. 1 Beil. G 3	Ker.Gr. 17
Trachones Tr 336, Nr. 51	Trachones Tr. A 32γ
Kallithea 1091, Nr. 38 ⎫	
Kallithea 1092, Nr. 39 ⎭	Kallithea »Gr. I«

An diesen Beispielen ist deutlich abzulesen, wie die Formgebung immer schlaffer wird; bei der Schale Kallithea 1092, Nr. 39 baucht die Wandung schon unten stark aus. Bestimmte Teile können auch wieder stärker betont werden, so bildet die Schale Kallithea 1091, Nr. 38 einen etwas wulstigen Standring aus. Die Schale Tr 336, Nr. 51 zeigt merkwürdigerweise eine sehr akzentuierte Formgebung. Der gebogen ausschwingende Rand ist abgesetzt, die im oberen Teil stark gewölbte Wandung zieht unten ein. Entweder ist die Schale älter als ihr Grabzusammenhang annehmen läßt, wogegen die Bemalung spricht, oder wir müssen im Subgeometrischen mit der Möglichkeit einer derartigen Tendenz rechnen, die wieder härter abgesetzte Formen hervorbringt[33].

Zusammenfassung

Die frühe Stellung der Schalen Ker. 1319, Nr. 10 Taf. 12–13 u. Beil. B 1 und Trachones Tr 302, Nr. 50 Beil A 2 ist durch die enge Zusammengehörigkeit mit den frühen Breithalskannen derselben Gräber gesichert. Am Anfang der Schalenreihe in SG IIa stehen also nebeneinander die betont flache Form mit weit ausladender Wandung und die tiefe Form mit steiler Wandung. Gemeinsam ist ihnen die deutliche Abgrenzung ihrer Einzelteile wie abgesetzter Rand und Fuß, außerdem der gespannte Kontur der Wandungswölbung. Die Schalen der späteren Entwicklungsstufe der Phase SG IIb zeigen einen etwas verwaschenen Wandungskontur; der Übergang zum Rand geschieht gleitend, manchmal kann man kaum von einem eigenen Rand sprechen, sondern die Wandung biegt oben einfach nach außen um, ohne Knick und ohne stark ihre Richtung zu verändern. Es gibt nicht mehr den so klar abgesetzten Fuß, sondern gelegentlich nur noch seine Andeutung durch eine schwache Rille. Diese Tendenzen verstärken sich noch weiter im Subgeometrischen, wo man Schalen mit sehr weichen, verwaschen ineinander übergehenden Konturen findet.
Dieser Entwicklungsablauf von den klar abgegrenzten Formen mit gespanntem Kontur zu

---

33 Vgl. dazu Tassen dieser Zeit, Young, AJA.46 (1942) 16f. Abb. 1–14. Brann, Agora VIII 52f.

schlafferen Formen mit weichen Übergängen bestätigt sich, wenn man zum Vergleich andere spätgeometrische Gefäße heranzieht. Eine entsprechende Entwicklung für die spätgeometrischen Skyphoi hat E. Brann bereits aufgezeigt[34]. In der Mitte des 8. Jhs. v. Chr. findet man hier einen deutlich gekennzeichneten Fuß mit ebener Standfläche, einen gerundeten Körper mit deutlicher Schulter und einen abgesetzten Rand. Dann beginnt der Fuß zu verschwinden, und der Rand ist kaum noch vom Körper abgesetzt[35]. Deutlich lassen sich diese Entwicklungstendenzen zur Verschleifung der Form auch an anderen, größeren Gefäßen wie Breithalskannen[36] und Halshenkelamphoren[37] ablesen.

Die große Formenvielfalt innerhalb der gewöhnlichen Schalenform ist sicher durch die individuellen Gestaltungsmöglichkeiten der einzelnen Töpfer bedingt. Ein chronologisches Gerüst erhält man mit dem skizzierten Entwicklungsablauf des Verhältnisses der einzelnen Schalenteile zueinander, der anhand der Fundzusammenhänge gewonnen wurde. Mit Hilfe der Form – natürlich neben anderen maßgeblichen Kriterien – können andere Schalen ohne archäologischen Kontext eingeordnet werden.

II. EINZELFORMEN

Den Proportionen der üblichen Schalenform entsprechen nicht die Schalen Eleusis 1682, Nr. 36 Taf. 36, Oxford 1922.215, Nr. 89 Taf. 35, der in Form und Bemalung ganz ähnlich ist die Schale aus dem Luzerner Kunsthandel, Nr. 81, außerdem Athen, British School Mus. K. 2, Nr. 40 Taf. 34 Beil. G 4[38]. Sie zeigen alle einen im Verhältnis sehr hohen Rand, ganz extrem bei Athen Brit. School Mus. K.2, Nr. 40. Da die Schalen Eleusis 1682, Nr. 36, Oxford 1922.215, Nr. 89 und Luzern, Kunsthandel, Nr. 81 etwa die gleiche Gesamtproportion von Höhe zu oberem Dm. wie die gewöhnlichen Schalen aufweisen, ist die Wandung des Körpers besonders stark gewölbt, da sie eng zusammengeführt wird zu einer schmalen Bodenfläche. Die Henkel setzen zwar gleich an der Schulter an, sitzen aber im Vergleich zur Höhe ziemlich tief. Bei den Schalen Eleusis 1682, Nr. 36 und Oxford 1922.215, Nr. 89 zieht die Wandung unten konkav ein, eine ganz leichte Einziehung läßt sich auch an Brit. School Mus. K.2, Nr. 40 beobachten.

Einen besonderen Einzelfall stellt die Schale Laon 37.772, Nr. 77 dar. Auch hier ist der Rand extrem hoch, er beträgt mehr als die Hälfte der Gesamthöhe. An diesen konkav nach außen gebogenen Rand schließt sich dann nach einem Knick die gewölbte Wandung an. Die Henkel sitzen folglich ganz besonders tief. Diese Form scheint eher mit den Tassen des sog. Phalerontyps[39] verwandt zu sein als mit den übrigen Schalen. Nur die Bemalung der Innenseite verbindet sie mit unserer Schalengattung. Hervorzuheben ist auch die Besonderheit, daß die Schalen Eleusis 1682, Nr. 36 Taf. 36

34 Brann, Agora VIII 46.

35 Vgl. folgende Reihe der Skyphoi: Mitte des 8. Jhs. v. Chr.: Ker.273.326.328 (Ker. V,1 Taf. 92.97). Agora VIII Nr. 125. 3. Viertel des 8. Jhs. v. Chr.: Agora VIII Nr. 126–127. Ker.1300.343.344 (Ker.V,1 Taf. 96.99). Letztes Viertel des 8. Jhs. v. Chr.: Agora VIII Nr. 129–131.

36 Kahane, AJA.44 (1940) 482: Spätgeometrisch Stufe I–II. Cook, BSA.35 (1934–35) 151.

37 Coldstream 60, 85.

38 Ein Sonderfall ist auch der Napf Berlin, Slg.Altheim (ehem. Halle, Bielefeld, in Studies Presented to David M. Robinson II, 1953, 43 ff. Taf. 10), der auf der Innenseite seines Randes einen Fries nach links marschierender Krieger zeigt (vgl. auch Anm. 162).

39 Agora P 4607, Agora VIII Nr. 193. Ker. 1333.851.319.371 (Ker.V,1 Taf. 107). Agora P 5502 und 6483 Hesp.Suppl. II Gr.XI, 11 und 12). Ker.352 (Ker.V,1 Taf. 107). Dip.Gr.IX Nr. 7 (AM. 18, 1893, 117 f. Taf. 8,2). Ker.1321 (Ker.V,1 Taf. 107). Young, AJA.46 (1942) 46 f. Vgl. auch den Trinknapf mit zwei horizontalen Henkeln aus Marathon Gr. 8, Prakt. 1939, 35 Abb. 6–7.

und Laon 37.772, Nr. 77 innen an ihrem hohen Rand eine Vogelreihe zeigen, während sonst die Vogelreihen oder figürlichen Friese erst unterhalb des Randes sitzen.

III. DIE BINDUNG DER SCHALENFORM AN DIE TRADITION UND IHRE BEZIEHUNG ZUR FORM DER METALLSCHALEN DES ORIENTS

Die Form der hier besprochenen Schalengattung ist in der attisch geometrischen Keramik singulär und findet sich auch außerhalb Attikas in keiner anderen griechischen Landschaft[40]. Sie tritt nach der Mitte des 8. Jhs. v. Chr. zu Beginn der Phase SG IIa auf und hält sich bis zum Ende des Spätgeometrischen, kommt noch in einzelnen subgeometrischen Zusammenhängen vor, ist aber im Protoattischen verschwunden.

Diese besonderen Umstände und die präzisen, gut artikulierten Formen der frühen Schalen ließen mehrere Forscher an Metallvorbilder denken. Diese Ansicht äußerste erstmals Pfuhl, ihm folgten Young und später Brann und Canciani[41]. Allein das Argument der akzentuierten Form kann nicht für ein Metallvorbild in Anspruch genommen werden, da es sich dabei – wie gezeigt werden konnte – um ein allgemeineres Stilmerkmal am Anfang der spätgeometrischen Zeit handelt.

Pfuhl[42] schlug später eine Ableitung der Schalen von den Skyphoi vor, mit denen sie durch Übergangsformen verbunden seien. Dagegen wandte sich Young[43] mit Recht, denn die zitierten Gefäße unterscheiden sich fast nur durch die Rundhenkel von den Bandhenkelskyphoi mit hohem, nur wenig ausladendem Rand. Mit den Schalen haben sie in Form und Proportion nicht viel gemein, vor allem stehen sie genau wie die Skyphoi auf einem breiten Boden.

Allerdings zeigen die Einzelteile der Schalen – Rand, gewölbter Körper, Fuß und die horizontalen Henkel – Beziehungen zu den Skyphoi, besonders in der Höhenproportion dieser Grundelemente zueinander. Sicher richtig ist es daher, die Schalen aus der Töpfertradition der Skyphoi heraus zu verstehen, von denen sie in den einzelnen Formteilen abhängig sind[44]. Eine gewisse Bestätigung dafür ist der vermutlich gleiche Verwendungszweck der Skyphoi und Schalen (s. 30) und die Tatsache, daß sich die späten tieferen Schalen und die späten Skyphoi in der Form einander so nähern[45], daß das Unterscheidungsmerkmal manchmal nur noch die mehr oder weniger aufwendige Bemalung der Innenseite ist.

Man darf also annehmen, daß die Schalen aus der Tradition der Skyphoi heraus in SG IIa in einer attischen Töpferwerkstatt entstanden. Die bemerkenswerten Unterschiede zum Skyphos sind der schmale Boden, demzufolge die verhältnismäßig flach ansteigende Wandung, die sich nur oben etwas nach innen wölbt, und der ausladende Rand, so daß ein stark ausladendes, flaches Gefäß entsteht; daneben gibt es auch ausgesprochen steilwandige Beispiele wie Ker. 1319, Nr. 10, aber die Tendenz zu gleichmäßig sich nach außen weitenden Wänden bleibt.

Da die Schalen unvermittelt nach der Mitte des 8. Jhs. v. Chr. auftauchen, darf man wohl vermuten, daß es sich hierbei um die Erfindung eines Töpfers handelt, die in Mode kommt und auch von anderen Töpferwerkstätten übernommen wird. Diese Frage muß bei der Erörterung der Werkstätten erneut gestellt werden.

40 S. oben Anm. 13.
41 Pfuhl, AM. 28 (1903) 182. Young, Hesp.Suppl. II (1939) 152. Brann, Agora VIII 48 f. unter Nr. 143. Canciani, AA.1968, 127 f.
42 Pfuhl, MuZ. I 71. Dieser Ableitung schließt sich Kunze 76 Anm. 6 an.

43 Young, Hesp.Suppl. II (1939) 152. Athen, Nat.Mus. 870, JdI. 14 (1899) 214 Abb. 96 oben links = Collignon-Couve Taf. 15,280. Schweitzer, AM. 33 (1918) Taf. 6,3.
44 Cook, BSA. 42 (1947) 152 f.: a short-lived refinement.
45 Coldstream 86 f.

Die Bestandteile des Skyphos sind so verändert, daß die Wandung nicht mehr so steil ansteigt, sondern flacher, so daß ein viel offeneres Gefäß mit einer schrägen Wandung entsteht. In die Überlegungen zur Entstehung der Form muß man auch die Tatsache miteinbeziehen, daß die Innenseiten der Schalen bemalt sind mit häufig sehr aufwendigen figürlichen Darstellungen. Für eine Erklärung der Verbindung der neuen Form und der Innenbemalung gibt es zwei Möglichkeiten. Entweder wurde zuerst die neue Form kreiert und dann als günstig für eine Innenbemalung erkannt – in diesem Fall muß man aber fragen, warum dann nicht auch die viel flacheren und somit in der Form noch günstigeren Teller innen bemalt wurden – oder man hatte von Anfang an die Absicht, eine ausführliche Innenbemalung auf einem Trinkgefäß anzubringen, für das man eine neue Form erfand, wobei man sich an die bestehenden Skyphosformen anlehnte. Wenn man in Betracht zieht, daß innerhalb der attisch geometrischen Keramik nur diese Schalengattung eine bemalte Innenseite aufweist, so stellt sich die Frage, ob die Idee der Innenbemalung nicht einer fremden Anregung zu verdanken ist. Als Vorbilder der Schalen wurden wegen der Dekoration der Innenseite immer wieder die orientalischen, getriebenen Metallschalen herangezogen, was im Verlauf der weiteren Untersuchung zu klären versucht wird. Hier kann nur soviel festgehalten werden, daß Vorbilder wie die flachen orientalischen Metallschalen eine Erklärung sowohl für die in der geometrischen Keramik einmalige Innendekoration bieten wie auch für die Tendenz zu einer offenen, flachen Form[46].

46   So auch Carter, BSA. 67 (1972) 47.

Werkstätten

Gegen Ende der geometrischen Epoche sind große Variationsmöglichkeiten im Stil der Bemalung zu beobachten, die nicht ausschließlich auf eine allgemeine Stilentwicklung zurückzuführen sind, sondern der größeren Individualität einzelner Maler- und Werkstattstile entspringen. Seit Kahane und dann Cook erstmals einige spätgeometrische Gefäße in Werkstattzusammenhängen zusammenstellten, sind die wichtigsten Arbeiten über die attisch spätgeometrischen Werkstätten von Davison, Brann und Coldstream geleistet worden[47]. Die Zuweisung von Schalen mit Innenbemalung an einzelne Werkstätten durch sorgfältigen Vergleich des Bemalungsstils ist schon deshalb sinnvoll und notwendig, um durch diese Bereicherung ein genaueres Bild von den einzelnen Werkstätten zu erhalten. Aber auch für das Aufkommen der Schalen, den Zeitpunkt ihrer Blüte und ihre Verbreitung dürfen von den Werkstattzuschreibungen Ergebnisse erwartet werden.

I. BIRDSEED-WERKSTATT

Diese Werkstatt wurde von Davison entdeckt und von Coldstream entscheidend erweitert, in manchem auch revidiert[48]. Bereits in der Zusammenstellung bei Davison konnten mehrere Schalen mit Innenbemalung dieser Werkstatt zugeschrieben werden. Coldstream vermehrte die Liste um einige Beispiele, der hier noch weitere Schalen angefügt werden können.

Birdseed-Maler
1. Athen, Nat.Mus. 13038, Nr. 53 Taf. 1 und Abb. 10

Werkstatt
2. München 6220, Nr. 85 Taf. 2 und Beil. A 1
3. Trachones Tr 302, Nr. 50, Beil. A 2
4. Bonn V.I.1632, Nr. 70 Taf. 3 und Beil. A 3
5. Edinburgh 1956.423, Nr. 74 Taf. 4
6. Brauron, aus Merenta Gr. 27, Nr. 43 Beil. A 4
7. Ker. 788, Nr. 5 Taf. 5 und Beil. A 7
8. Manchester III H 43, Nr. 83, Taf. 6
9. Athen, Nat.Mus. 15284, Nr. 47 Taf. 7 und Beil. A 5
10. Athen, Nat.Mus. aus Glyphada (?), Nr. 37
11. Athen, Brit. School Mus. A 343, Nr. 67 Beil. A 6
12. Thera, Mus. aus dem Schiffschen Grab, Nr. 54
13. Edinburgh 1956.422, Nr. 73 Taf. 8–9.

---

47 Kahane, AJA. 44 (1940) 477ff. Cook, BSA. 42 (1947)
143ff. Davison. Brann, Agora VIII. Coldstream 29ff.

48 Davison 55ff. Coldstream 67ff.

a. Form

Die enge Verbindung der Schalen zeigt sich, wenn man ihre Form betrachtet. Der bei den frühen Beispielen klar abgesetzte Rand schwingt weit aus und ist manchmal ganz leicht nach außen gebogen. Dann folgt die Wandung mit einer stark gewölbten Schulter; im unteren Teil verläuft sie fast geradlinig, so daß ein gespannter Umriß entsteht. Diese feine Schwingung des Konturs ist gerade bei den Schalen der Birdseed-Werkstatt anzutreffen. Unten schließt sich der abgesetzte Fuß an, der verschieden ausgebildet sein kann. Meist hat er einen kantigen Umriß (Athen, Nat.Mus. 13038, Nr. 53, Brauron, aus Merenta Gr. 27, Nr. 43, Athen, Nat.Mus. 15284, Nr. 47, Athen, Brit. School Mus. A 343, Nr. 67, doch kann er auch mehr gerade ausfallen (Trachones Tr 302, Nr. 50, Manchester III H 43, Nr. 83), aber auch scheibenförmig aussehen, wie bei München 6220, Nr. 85. Nur die Schale Ker. 788, Nr. 5 besitzt keinen Fuß, sondern die Wandung endet unmittelbar an der ebenen Standfläche. Auch bei der Unterseite der Böden lassen sich verschiedene Gestaltungen beobachten. Meistens ist es eine ebene Standfläche, die Böden können aber auch konkav sein (Athen, Nat.Mus. 15284, Nr. 47, Athen, Brit. School Mus. 343, Nr. 67, Edinburgh 1956.422, Nr. 73), bei München 6220, Nr. 85 ist nur der Fuß unterschnitten. Die Henkel setzen direkt unterhalb des größten Durchmessers des Körpers an und sind schräg nach oben geführt. Erst die späteren Beispiele haben mehr waagrecht verlaufende Henkel.

b. Bemalung

Nicht nur durch die typischen »bird-and-birdseed«-Reihen sind die Schalen untereinander aufs engste verbunden, sondern auch durch die kennzeichnende Auswahl der Ornamente und ihre Anordnung, die in der Birdseed-Werkstatt immer wiederkehren[49]: Schachbrett, gepunktete Rautenkette, Punkt- oder Kreistangentenkette, Zickzack und Punktreihe. Für das Zentrum ist das Wagenrad ein beliebtes Motiv, dessen Zwickel gern mit Punkten oder Punktrosetten gefüllt werden.

Die Innenseiten sind in zwei Fällen mit einem figürlichen Fries aus Tieren und Menschen bemalt (Athen, Nat.Mus. 13038, Nr. 53, Edinburgh 1956.422, Nr. 73); auf die einzelnen Themen wird im nächsten Kapitel genauer eingegangen. Sonst erscheint unterhalb des Randes meistens die typische Vogelreihe mit schrägen Punktlinien zwischen anderen konzentrisch geführten Ornamentbändern. Zwei Schalen (Trachones Tr 302, Nr. 50 und Thera, aus dem Schiffschen Grab, Nr. 54) sind innen nur mit verschiedenen konzentrischen Ornamentbändern verziert. Das Zungenmuster der Innenseiten von Athen, Nat.Mus. 15284, Nr. 47 und der Schale aus Glyphada (?), Nr. 37 ist von den Außenseiten anderer geometrischer Gefäße gut bekannt. Es ist offenbar aus der Toreutik abgeleitet und soll die getriebenen Wölbungen nachahmen; dies kann man ganz eindeutig an dem kantharos-ähnlichen Pokal Athen, Nat.Mus. 18020[50] ablesen, bei dem diese Wölbungen nicht nur durch das Zungenmuster angedeutet, sondern auch in der Tonwandung plastisch ausgeführt sind.

Außen ist in der Henkelzone üblicherweise die typische Vogelreihe gemalt, die seitlich entweder nur von senkrechten Strichen oder von Triglyphen aus Schrägstrichen gerahmt wird. Der Platz vor dem Henkel ist häufig mit einer Punktrosette auf einer Punktreihe gefüllt. Der Rand und die Wan-

---

49 Davison 57 ff.
50 Schweitzer Taf. 17 und 18. Vgl. auch CVA. Heidel-   berg 3 Taf. 113,1 und 112,8; Heidelberger Neuerwerbungen 1957–1970 (1971) Taf. 8 Nr. 12.

dung unterhalb der Henkel sind mit verschiedenen Ornamentbändern geschmückt. Manche Schalen sind auf der Außenseite dunkel überzogen (Edinburgh 1956.423, Nr. 74, Brauron, aus Merenta Gr. 27, Nr. 43, Bonn V.I.1632, Nr. 70).

Gelegentlich wird sogar die Bodenunterseite verziert, mit konzentrischen Kreisen bei Athen, Nat.Mus. 15284, Nr. 47, Manchester III H 43, Nr. 83 und Edinburgh 1956.422, Nr. 73; besonders aufwendig ist der Boden von Athen, Nat.Mus. 13038, Nr. 53 mit Punkttangentenkette und Wagenrad und der von Athen, Brit. School Mus. A 343, Nr. 67, der mit einer Rosette aus lanzettförmigen Blättern geschmückt ist.

Die Schale Athen, Nat.Mus. 13038, Nr. 53 ist wegen der Figurenzeichnung der Innenseite dem Birdseed-Maler selbst zuzuweisen. Für die Pferde ist vor allem der Krater München 6234[51] zum Vergleich heranzuziehen. Der Krieger mit erhobener Hand hinter den Reitern gleicht ganz den ausziehenden Kriegern auf der Oinochoe Hobart Nr. 31[52]. Eine nahezu identische Pferdehaltergruppe zeigt der Kantharos Athen, Nat.Mus. 14447[53], der sicher ebenfalls von der Hand des Birdseed-Malers bemalt ist, was auch ein Vergleich mit den Figuren aus der Reigendarstellung der anderen Seite des Kantharos lehrt.

Für die hier neu zugeschriebenen Schalen sollen die Argumente der Zuweisung kurz genannt werden. Die Zugehörigkeit der Schale Bonn V.I.1632, Nr. 70 zu dieser Werkstatt ist durch die zahlreichen Analogien der Innenseite zur Schale München 6220, Nr. 85 evident. Die Schale Trachones Tr 302, Nr. 50 kann der Birdseed-Werkstatt durch die charakteristische Vogelreihe der Außenseite und das übrige Ornamentrepertoire – gepunktete Rautenkette, Schachbrett, Zickzack, Punktreihe und seine Anordnung zugewiesen werden (s. 31). In Form und Bemalung der Innen- sowie der Außenseite steht die Schale aus Merenta Gr. 27, Nr. 43 der Schale Edinburgh 1956.423, Nr. 74 außerordentlich nahe, so daß die Zugehörigkeit zur Birdseed-Werkstatt nicht in Frage gestellt werden kann. Die Innenverzierung der Schale aus Glyphada (?), Nr. 37 mit einem Zungenmuster findet ihre Entsprechung in der Schale Athen, Nat.Mus. 15284, Nr. 47. Die Ornamente der Außenseite sowie die Form passen gut ins Repertoire der Werkstatt[54]. Etwas ungewöhnlich sind die aufgebogenen Schnäbel der Vögel in der Henkelzone, die sich ähnlich an einigen Vögeln von Athen, Brit. School Mus. A 343, Nr. 67 finden.

II. MALER B DER RATTLE GROUP

Diese Gruppe mit den Malern A und B wurde von Coldstream zusammengestellt[55]; bisher bestand die Gruppe nur aus Breithalskannen und einer Oinochoe, hier werden jetzt auch zwei Schalen dem Maler B zugewiesen:

1. Athen, Nat.Mus. 729, Nr. 23 Taf. 10 und Beil. B 2
2. London, Brit.Mus. 1950.11–9.1, Nr. 79 Taf. 11 und Beil. B 3

---

51 Coldstream 67 X.11 = Davison Abb. 78.
52 Coldstream 67 X.8 = Hood, AJA.71 (1967) 82 ff. Taf. 31 ff.
53 Tölle Taf. 3.
54 Leider hatte ich keine Gelegenheit mehr, diese Schale zu sehen, die sich im Magazin des Athener Nationalmuseums befindet.
55 Coldstream 71 f. Die Benennung der Gruppe folgt der Deutung, die Cook, BCH. 70 (1946) 97 ff. den Gegenständen gegeben hat, welche die Personen auf den Kannen in der Hand halten, und die er für Rasseln hält.

a. Form

Die Athener Schale, Nr. 23, besitzt einen deutlich abgesetzten, ausladenden Rand, während bei der Londoner Schale, Nr. 79, die Wandung in den Rand übergleitet, der nur wenig stärker als die Wandung nach außen auslädt. Die Londoner Schale, Nr. 79, zeigt auch eine schwächere Wölbung der Wandung, die insgesamt gerader verläuft im Vergleich zur Athener Schale, Nr. 23. Gemeinsam ist beiden Schalen die ebene Bodenunterseite.

b. Bemalung

Die Außenseite zeigt bei beiden Schalen die gleiche Randbemalung: oben eine Tupfenreihe, darunter zwei breite Umlaufstreifen. Die Athener Schale, Nr. 23, ist sonst ganz dunkel überzogen, bei der Londoner Schale, Nr. 79, ist in der Henkelzone eine Vogelreihe gemalt, die größte Ähnlichkeit mit den Vogelreihen der Birdseed-Werkstatt zeigt[56]. Die stilistisch und thematisch ganz ähnlichen Figurenfriese der beiden Schalen zeigen so weitgehende Übereinstimmungen mit den bis in die Einzelheiten entsprechenden Sitzfiguren des Malers B der Rattle Group, daß ihre Zuweisung an seine Hand genügend gesichert erscheint. Das sorgfältig gezeichnete Schachbrettmuster der Athener Schale, Nr. 23, entspricht dem auf den frühen SG IIa-Kannen des Malers B[57], während das locker hingetupfte Schachbrett der Londoner Schale, Nr. 79, dem auf Kannen der Phase SG IIb entspricht[58]. Somit bestätigt es die bereits durch die Form angezeigte, zeitliche Abfolge der beiden Schalen.

III. MALER VON KERAMEIKOS 1314

Breithalskanne Ker. 1314, Ker. V,1 Taf. 113.
Schale Ker. 1319, Nr. 10, Taf. 12–13 und Beil. B 1
Die Friese mit grasenden Rehen zeigen ganz klar, daß diese beiden Gefäße, die auch zusammen in Kerameikos Gr. 51a gefunden wurden, von derselben Hand bemalt sind. Ein Vergleich besonders des umgekehrt gemalten Frieses auf der Außenseite der Schale, der als Füllmuster gepunktete Rauten über dem Ohr zeigt und Zickzack über dem Rücken, mit dem bis in Einzelheiten entsprechenden Fries am Bauch der Kanne macht deutlich, daß die Gefäße auch zeitlich ganz kurz hintereinander fertiggestellt wurden und offenbar als serviceartige Zusammenstellung zusammen gekauft wurden (s. 32).

56 Tatsächlich sehen Davison 61 und Coldstream 68 X.24 in der Londoner Schale, Nr. 78, ein Erzeugnis der Birdseed-Werkstatt (Davison auch in der Athener Schale, Nr. 23). Dagegen sprechen aber sowohl die Formen der beiden Schalen, die nicht in die Birdseed-Werkstatt passen, wie auch die Figuren. Sie unterscheiden sich von den menschlichen Gestalten des Birdseed-Malers und seiner Werkstatt durch die gelängte Wespentaille und die breit auseinandergehenden, stark gerundeten Schultern, während der Oberkörper in der Birdseed-Werkstatt sonst ein Dreieck bildet. Der nach hinten zurückgenommene Arm macht beim Birdseed-Maler immer einen scharfen Knick im Ellbogen (vgl. Coldstream 67 X.6.7.8.15; Kantharos

Athen, Nat.Mus. 14447, Tölle Taf. 3); bei den Figuren der Londoner, Nr. 79, und der Athener Schale, Nr. 23, ist er rund gegeben. Anders ist auch die Kopfform, die nicht das lange Kinn der Birdseed-Figuren aufweist. Möglicherweise bestanden Beziehungen zwischen der Birdseed-Werkstatt und der Rattle Group, worauf einmal die Vogelreihe auf der Außenseite der Londoner Schale, Nr. 79, hinweist und auch der Mäander auf den Kannen des Malers B der Rattle Group, der die gleiche, allerdings stark in die Länge gezogene Version wie in der Birdseed-Werkstatt zeigt (vgl. Coldstream 72).
57 Coldstream 71 XIII.5.
58 Coldstream 71 XIII.8.9.

Bisher konnten demselben Maler keine weiteren Gefäße mit Sicherheit zugewiesen werden[59], aber an der Herkunft der beiden genannten Stücke aus einer gemeinsamen Werkstatt und ihrer Bemalung von derselben Hand kann kein Zweifel sein.

IV. WERKSTATT VON ATHEN 894

Der Kernbestand dieser Werkstatt wurde zuerst von Cook[60] zusammengestellt. Davison[61] wies ihr zahlreiche Gefäße zu, wobei sie verschiedene Hände unterscheiden konnte. Weitere Zuschreibungen machten Brann[62] und Himmelmann-Wildschütz[63]. Ebenso ordnete Coldstream[64] in seiner zusammenfassenden Gruppierung bedeutende Stücke in den Bestand dieser Werkstatt ein. Seitdem wurden noch andere wichtige Gefäße diesem Werkstattzusammenhang zugewiesen: eine Amphora in Privatbesitz, als Leihgabe in Berlin, Staatl. Mus.[65], und eine Amphora in Hamburg, Mus. für Kunst und Gewerbe 1966.89[66].

Die Schale München 8506, Nr. 88, erscheint bereits bei Davison innerhalb dieser Werkstatt; Coldstream ordnete drei weitere Schalen dazu: Athen, Nat.Mus. 14441, Nr. 30, Würzburg L. 58, Nr. 93 und Athen, Nat.Mus. 784, Nr. 24. Canciani[67] und F. Hölscher[68] brachten die Schale Würzburg H. 5051, Nr. 94 und Athen, Nat.Mus. 15283, Nr. 46 aus Spata Gr. 3 mit dieser Werkstatt in Verbindung. Bei der Schale Thorikos TC 66.188, Nr. 48, wiesen die Ausgräber[69] auf ihre Nähe zur Werkstatt von Athen 894 hin. Diese Gruppe konnte noch um einige Stücke vermehrt werden in der folgenden Liste[70]:

1. Athen, Nat.Mus. 15283, Nr. 46 Taf. 18 und Beil. E 1
2. Würzburg H. 5051, Nr. 94, Taf. 19 und Beil. E 5
3. Ker. 4370, Nr. 21 Taf. 24c und Abb. 1 (S. 7)
4. Thorikos TC 66.188, Nr. 48
5. Athen, Nat.Mus. 784, Nr. 24 Taf. 20
6. Verschollen, Nr. 95 Taf. 25a
7. Agora P 5503, Nr. 27 Taf. 24a und Beil. E 3
8. Ker. 4369, Nr. 20 Taf. 24b
9. München 8506, Nr. 88 Beil. E 4
10. Athen, Nat.Mus. 14441, Nr. 30 Taf. 21 und Beil. E 2
11. Würzburg L. 58, Nr. 93 Taf. 22 und Beil. E 6

59 Davison 63 ff. hatte eine »Knickerbocker«-Werkstatt zusammengestellt, die sich aber nicht halten ließ. Coldstream 51 ff. bes. 52 Anm. 2, 66 f. konnte mehrere Gefäße dieser Gruppe anderen Werkstattzusammenhängen zuweisen.
60 Cook, BSA.42 (1947) 146 ff.
61 Davison 41 ff. und 79 ff.
62 Brann, Agora VIII 9. Dazu vgl. Coldstream, JHS.84 (1964) 217; Cook, Gnomon 34 (1962) 821.
63 Himmelmann-Wildschütz, AA. 1964, 611 ff.; ders. Gnomon 34 (1962) 76.
64 Coldstream 58 ff.
65 Metzler, AntK. 15 (1972) Taf. 1.
66 Hoffmann, AA. 1969, 333 Abb. 15a und b. Die Amphora in Houston, Museum of Fine Arts, die Hoffmann,

Ten Centuries that Shaped the West (1970) 304 ebenfalls der Werkstatt von Athen 894 zuschreibt, scheint mir eher in die Nähe des Philadelphia Painters zu gehören (vgl. Coldstream 57 f.).
67 Canciani, AA. 1968, 127 f. Abb. 6–7.
68 F. Hölscher, CVA. Würzburg 1 Taf. 15, 1–3.
69 Thorikos IV (1969) 81.
70 Die Liste soll nicht als strenge chronologische Reihenfolge verstanden werden, vielmehr hat es den Anschein, daß die Schalen in einem ziemlich kurzen Zeitraum hergestellt wurden und mehr in die frühe Phase der Werkstatt gehören, denn mit so späten Erzeugnissen wie die Kanne Slg. Passas (Coldstream 59 VII.24), Athen, Nat.Mus. 810 (Coldstream 60 VII.39 und 40) und Louvre CA 3256 (Coldstream 60 VII.41) haben sie nichts mehr zu tun.

Wahrscheinlich ebenfalls aus dieser Werkstatt, soweit es sich bei so kleinen Fragmenten beurteilen läßt:
Fragment Ker. 4363, Nr. 17
Fragment Ker. 4368, Nr. 19 Taf. 24d

a. Form

Unter diesen durch ihren Bemalungsstil der Werkstatt von Athen 894 zugeschriebenen Schalen kann man innerhalb der Formen eine gewisse Variationsbreite feststellen[71]. Die Wandung zeigt meistens eine mittlere Stärke, nur Würzburg H. 5051, Nr. 94, und Ker. 4370, Nr. 21, sind ausgesprochen dünnwandig. Es gibt besonders flache Schalen wie Thorikos TC 66.188, Nr. 48, und Würzburg L. 58, Nr. 93, aber auch die sehr tiefe Schale München 8506, Nr. 88. Der Übergang vom Körper zum Rand ist deutlich bestimmbar bei Athen, Nat.Mus. 15283, Nr. 46, Würzburg H. 5051, Nr. 94, Ker. 4370, Nr. 21, München 8506, Nr. 88 und Würzburg L. 58, Nr. 93, ohne deshalb einen solchen Absatz zu bilden wie Thorikos TC 66.188, Nr. 48. Die Außenseite des Randes zeigt die Tendenz zu einer leichten konvexen Wölbung. Bei Athen, Nat.Mus. 14441, Nr. 30 vollzieht sich der Übergang zum Rand gleitend, die Wandung zieht an dieser Stelle nicht so stark ein, sondern bleibt insgesamt flacher. Die Wandung des Körpers ist ziemlich gleichmäßig nach außen gewölbt, bei Thorikos TC 66.188, Nr. 48 und Würzburg L. 58, Nr. 93 stärker bauchig. In manchen Fällen findet sich unten eine Einziehung (Athen, Nat.Mus. 15283, Nr. 46, Thorikos TC 66.188, Nr. 48, Athen, Nat.Mus. 14441, Nr. 30), manchmal deutet ein schmaler Wulst ganz unten einen Fuß an (Würzburg H. 5051, Nr. 94, Agora P 5503, Nr. 27, München 8506, Nr. 88). Die Bodenfläche unten ist meist eben, nur bei Thorikos TC 66.188, Nr. 48 leicht konkav eingezogen. Die meist kräftigen Henkel setzen etwas unterhalb der weitesten Ausdehnung des Körpers an und sind entweder leicht schräg nach oben geführt oder waagrecht zur Seite.
Eine besonders starke Ähnlichkeit in der Gesamtproportion und im Fluß der Form besteht zwischen Athen, Nat.Mus. 15283, Nr. 46 und Athen, Nat.Mus. 14441, Nr. 30, die durch den verschieden ausgebildeten Übergang zum Rand wohl zeitlich zu unterscheiden sind. Die Schale Athen, Nat.Mus. 15283, Nr. 46 ist früher. Denn hier vollzieht sich der Übergang deutlich in einer Kurve, während die spätere Schale Athen, Nat.Mus. 14441, Nr. 30 einen verwaschenen, flachen Übergang zum Rand zeigt.
Die Schalen Würzburg H. 5051, Nr. 94 und Ker. 4370, Nr. 21 verbinden sich durch ihre Dünnwandigkeit und den zart abgesetzten Rand. Der Unterschied zu den beiden oben genannten Schalen dürfte kaum durch eine verschiedene Zeitstufe bedingt sein; eher handelt es sich wohl um eine individuelle Formung, vielleicht von einem anderen Töpfer.

b. Bemalung

Im folgenden sollen die Gemeinsamkeiten der Schalen untereinander und mit anderen Stücken der Werkstatt von Athen 894 aufgezählt und beschrieben werden, die gleichzeitig die Zuschreibung der neuen Schalen erklären.
Ganz kennzeichnend ist die Art der Wiedergabe von Tierfriesen und deren Stilisierung, die von der in der Dipylon-Werkstatt üblichen Malart abhängen, weshalb Coldstream die Werkstatt von Athen 894 in die klassische Tradition einreihte. Bei Pferden, Rehen und den Ziegenböcken sind

---

71 Hier werden nur die Schalen untersucht, die ich im Original studieren und zeichnen konnte.

neben dem gesamten Körperbau besonders charakteristisch die meist nach vorn durchgebogenen Vorderbeine und die Hufbildung. Angegeben wird manchmal das Fesselgelenk, der Huf selbst ist aus einem verdickten, schräg nach vorn gekrümmten Strich gebildet. Die Hinterbeine enden meist in zwei rund gekrümmten Linien, wie es auf Gefäßen des Malers von Athen 894 und des Stathatou Malers anzutreffen ist[72], oder sie sind unten rundlich verdickt[73]. Das Hinterteil hat häufig einen eckigen Umriß mit einem tiefen Einschnitt zwischen Hinterbacke und Beinen. Pferde kommen in dieser Werkstatt im allgemeinen in Wagenfriesen als Gespannpferde oder manchmal als Reitpferde vor, gelegentlich gibt es aber auch Pferdefriese[74] und einzelne schreitende oder grasende Pferde[75]. Die Friese weidender Rehe dagegen sind ein besonders beliebtes und häufiges Thema dieser Werkstatt. Die eigenartigen geflügelten Ziegenböcke erscheinen ganz ähnlich auf dem Becherkrug Louvre CA 1780[76] und auf zwei Fragmenten von Kerameikos aus derselben Werkstatt.

Auch die bei den Tierfriesen verwendeten Füllmotive – gegitterte oder gepunktete Rauten unter dem Bauch, Zickzack über dem Rücken, vertikale Winkelreihen oder Schlangenlinien, verstreute Stundengläser und ✄-Linien zwischen den Vorderbeinen – halten sich im Rahmen dessen, was in dieser Werkstatt üblich ist[77].

Die Löwen der Werkstatt von Athen 894 weisen ebenfalls ganz bestimmte Charakteristika auf. Im Körperbau ähnelt das eckige Hinterteil dem der anderen Vierfüßler. Der aufgebogene Oberkiefer und die als zwei Zacken in Umrißzeichnung gegebenen Ohren von Ker. 4370, Nr. 21 finden sich besonders vergleichbar an den Löwen der Amphora Louvre CA 3468[78]; für die mit erhobener Vorderpranke schreitenden Löwen von Würzburg L. 58, Nr. 93 bietet die Amphora Essen K. 969[79] die nächsten Vergleiche. Die Gemeinsamkeiten des Löwenbildes, der aufgerissene Rachen mit aufgebogenem Oberkiefer, die mit Krallen bewehrten Pranken, der über dem Rücken aufgerollte Schwanz und das eckige Hinterteil können keinen Zweifel an der Zugehörigkeit zur selben Werkstatt lassen.

Die Wiedergabe des aufgerichteten Hundes zwischen den Pferden der verschollenen Schale Nr. 95 paßt in ihrer Stilisierung zu den rennenden Hunden, denen das Hundehinterteil von Ker. 4363, Nr. 17 genau entspricht, und die sonst in niedrigen Friesen auf Gefäßen der Werkstatt von Athen 894 auftreten[80].

Auf der Innenseite von Athen, Nat.Mus. 14441, Nr. 30 ist zwischen zwei Ziegenböcken ein Vogel mit schraffiertem Körper gemalt, auf der Bodenunterseite in das Zentrum dreier konzentrischer Kreise zwei antithetische Silhouettenvögel mit Schopf und nur je einem Bein. Vögel mit einer derartig stilisierten Silhouette und einem Schopf, die offenbar aus dem Protokorinthischen entlehnt sind[81], finden sich häufiger in dieser Werkstatt, genauso einander gegenüber gestellt, aber sorgfältiger gezeichnet, zwischen den Beinen der Pferde von Ker. 1371[82]. Einen zweibeinigen Vogel mit schraffiertem Körper gibt es auf der Hydria Bagdad IM 52041[83].

---

72 Maler von Athen 894: Coldstream 58 VII. 4.5.7.8.9.10.11. Stathatou Maler: Coldstream 59 VII. 15.16.17.18. und andere Gefäße.

73 Zu Ker.4369, Nr. 20, und Agora P 5503, Nr. 27, vgl. besonders die Oinochoe Ker.1356 und 1244 (Ker.V,1 Taf. 79 = Coldstream 59 VII.34) sowie die Ker. Fragmente Tölle, AA. 1963, 654ff. Abb. 10 und 24 (s. Coldstream 60).

74 Coldstream 59 VII.22.34.39 (am Ringhenkel) und Ker.Fragmente AA. 1963, 663 Abb. 24; Kraiker, Aigina (1951) Taf. 4,60 (s. Coldstream 60).

75 Coldstream 59 VII.24.37. Weidend: Coldstream 58

VII.10.14.

76 Coldstream 60 VII.43.

77 Vgl. Davison 43, 80. Die Punkte als Füllmuster bei Coldstream 58 VII.1.3.34.

78 Coldstream 60 VII.43.

79 Coldstream 59 VII.21.

80 Coldstream 62.

81 Vgl. Friis Johansen, Les vases Sicyoniens (1923) Taf. X. Cook, BSA. 42 (1947) 152 Abb. 7.

82 Coldstream 59 VII.23.

83 Coldstream 59 VII.33.

Kniende Gestalten wie auf Athen, Nat.Mus. 784, Nr. 24 sind auf Gefäßen dieser Werkstatt bei Prothesisdarstellungen unter der Totenbahre ein sehr beliebtes Motiv[84]. Die Frauen des Reigens mit ihren karierten Röcken, der Angabe von zwei Haarsträhnen am Kopf und dem vorragenden Kinn lassen sich besonders mit Frauenreigen auf den Hydrien[85] vergleichen.

Auch für Krieger mit Dipylonschild lassen sich in dieser Werkstatt entsprechende Vergleiche[86] finden. Für die Haltung des hinter einem Löwen schreitenden Kriegers mit Dipylonschild und Lanze kann man den eine Lanze in der ausgestreckten Hand haltenden Krieger im Wagen auf der Amphora Athen 894 und den mit zwei Lanzen hinter einem Wagen schreitenden Krieger im Fries der Amphora Karlsruhe 60/12 vergleichen[87].

Als Zentralmotiv der Innenseite ist bei den Schalen beliebt das schraffierte »Malteserkreuz« oder der achtstrahlige Strichstern, der gewissermaßen die Vorstufe dazu ist. Die meisten Schalen haben als Randornament eine Punktreihe an der Lippe, dann folgen zwei Umlaufstreifen und ein Schachbrettmuster. Ein ganz typisches Ornament für die Werkstatt von Athen 894 ist der ausgesparte Zinnenmäander[88]. Die Dekoration der Außenseite wird meist von Zickzacks beherrscht, gelegentlich von mehrfachen Rautenketten (Agora P 5503, Nr. 27, Ker. 4368, Nr. 19), die im Repertoire dieser Werkstatt auch auf anderen Gefäßen einen breiten Raum einnehmen. Athen, Nat.Mus. 784, Nr. 24 und Thorikos TC 66.188, Nr. 48 zeigen in der Henkelzone eine Metopen-Triglyphen-Gliederung.

Den meisten Schalen gemeinsam ist auch die Verzierung der Bodenunterseite mit je drei konzentrischen Kreisen: Athen, Nat.Mus. 15283, Nr. 46, Thorikos TC 66.188, Nr. 48, Agora P 5503, Nr. 27, Ker. 4369, Nr. 20, München 8506, Nr. 88, Athen, Nat.Mus. 14441, Nr. 30, Würzburg L. 58, Nr. 93; bei der Schale Athen, Nat.Mus. 14441, Nr. 30 sind – wie erwähnt (s. o.) – sogar zwei antithetische Vögel in die Kreise gemalt.

V. WERKSTATT VON ATHEN 897

Als erster stellte Kunze[89] zwei Gefäße von der Hand des Malers von Athen 897 zusammen, dann erweiterte Cook[90] diesen Kern um einige Beispiele; Davison und Coldstream[91] schließlich vermehrten den Bestand dieser Werkstatt erheblich durch weitere Zuschreibungen, wobei sich noch ein anderer Maler unterscheiden ließ, der sog. Empedokles-Maler.

Die Schale Brüssel A 2113, Nr. 71 setzte bereits Coldstream in diesen Werkstattzusammenhang.

1. Ker. 2859, Nr. 12, Abb. 5
2. Brüssel A 2113, Nr. 71, Taf. 25b

a. Form

Da beide Schalen fragmentiert sind, lassen sich zur Form nur wenige Beobachtungen anstellen. Beide Schalen haben einen abgesetzten, gerade ausladenden Rand. Ein Fuß fehlt bei der Schale Brüssel A 2113, Nr. 71, die Wandung endet an der ebenen Standfläche.

---

84 Coldstream 58 f. VII.7.10.11.15.21.
85 Coldstream 59 VII.25 ff.
86 Coldstream 59 VII.4.7.8.10.13.
87 Coldstream 58 VII.6 und 8.

88 Davison 43. Coldstream 62 (»gear pattern«).
89 Kunze, GGA. 1937, 290.
90 Cook, BSA. 42 (1947) 144 ff.
91 Davison 45 ff. Coldstream 77 ff.

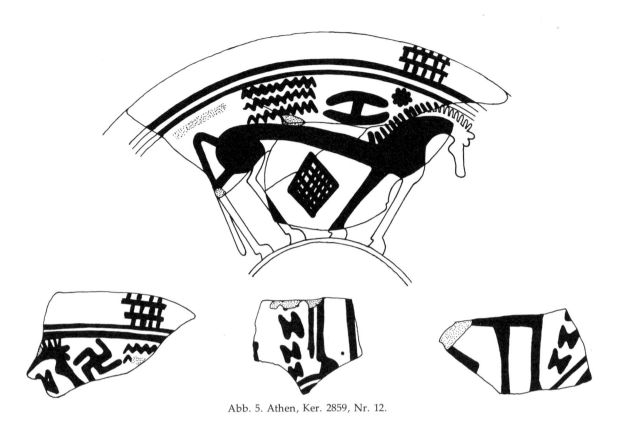

Abb. 5. Athen, Ker. 2859, Nr. 12.

b. Bemalung

Die Fragmente der Schale Ker. 2859, Nr. 12, Abb. 5 zeigen einen besonderen Pferdetyp mit fast kreisrundem Hinterteil, aus dem unvermittelt die Hinterbeine herausragen. Auch die Vorderbeine setzen übergangslos an und sind ganz gerade. Die Beine enden in dicken, plumpen Hufen. Der Körper ist als dünne Spindel wiedergegeben, an der vorn die stark gerundete Brust mit dem Hals sitzt. Der Kopfumriß lädt unten zur Angabe des Unterkiefers aus. Diese Stilisierung des Pferdekörpers entspricht ganz den Pferden von der Hand des Empedokles-Malers[92]. Der Kopfform des Ker. Fragmentes 2859, Nr. 12 sind besonders ähnlich die Pferdeköpfe der Amphora Athen 18138[93]. Die Schale Ker. 2859, Nr. 12 muß allerdings nicht vom Empedokles-Maler selbst stammen, es kann sich durchaus um eine Werkstattarbeit unter seinem Einfluß handeln.

Die weidenden Pferde der Schale Brüssel A 2113, Nr. 71 gehören einem anderen Pferdetyp an, der dem des Malers von Athen 897 entspricht[94]. Das dickliche Hinterteil hat einen Einschnitt zwischen den Beinen, der Körper zeigt nur ein kleines Stück weit die dünne Taille, dann verdickt er sich zur Brust. Die Vorderbeine sind leicht nach vorn durchgebogen, die Hufe schlank in einem Bogen gegeben, ähnlich wie in der Werkstatt von Athen 894.

Die kleinen, als Füllmotive eingestreuten Vögel mit nur einem Bein gibt es auch auf dem Fragment Bonn 15[95]. Die übrigen Füllornamente – Zickzack, gegitterte Raute, Winkelhaken und Stundengläser – finden sich auf beiden Schalen und passen gut zu den anderen Stücken der Werkstatt.

Die Außenseite ist bei beiden Schalen in der Henkelzone mit einer Metopen-Triglyphen-Gliede-

---

92 Coldstream 77 XVIII. 1–4.
93 Davison 44.

94 Coldstream 77 XVIII.10.11.
95 Coldstream 78 XVIII.31 = Davison Abb. 41.

48

rung dekoriert, bei Ker. 2859, Nr. 12 im mittleren Feld ein Wolfszahn, der in der Schulterzone auf Kannen und Amphoren dieser Werkstatt öfters vorkommt[96].

Zusammenfassung

Natürlich können nicht alle Schalen Werkstätten zugewiesen werden. Derartige Zuschreibungen dürfen nur für die aufwendigeren, figürlich bemalten Stücke vorgenommen werden, bei denen ein bestimmter Stil zum Ausdruck kommt. Die anspruchslos mit konzentrischen Kreislinien und wenigen einfachen Ornamenten verzierten Schalen entziehen sich einer derartigen Zuweisung. Man muß selbstverständlich damit rechnen – und es ist sogar wahrscheinlich –, daß die Werkstätten neben den reich mit Figuren bemalten Gefäßen auch einfacher dekorierte Ware herstellten, die uns aber keine ausreichenden Argumente für eine Zuschreibung bieten kann.

Immerhin kann ein großer Teil der figürlich bemalten Schalen in Werkstattzusammenhängen erfaßt werden. Aus diesen Zusammenstellungen der Schalen innerhalb einer Werkstatt geht hervor, daß die Birdseed-Werkstatt und die Werkstatt von Athen 894 in der Herstellung dieses Schalentyps führend waren. Da in der Birdseed-Werkstatt zugleich auch die zeitlich frühesten Schalen der Phase SG IIa zu finden sind, scheint es berechtigt anzunehmen, daß dieser Schalentyp erstmals in dieser Werkstatt hergestellt, ja geradezu erfunden wurde. Sehr bald danach wurde er in einer tieferen Variante und z. T. mit einer ärmeren Dekoration von anderen Töpfern aufgegriffen: Ker. 1319, Nr. 10, Taf. 12–13 u. Beil. B 1, Ker. 2683, Nr. 11, Beil. C 2 und Agora 3645, Nr. 26, Beil. C 1. Die qualitätsvollsten Schalen gehören der Phase SG IIa an, gegen deren Ende und am Anfang von SG IIb die Produktion dieser Schalen offenbar ihren Höhepunkt erreichte. Mit dem Ende von SG IIb sterben die Schalen nahezu aus, nur wenige Beispiele gibt es noch in subgeometrischen Kontexten; von protoattischen Werkstätten wurde dieser Schalentyp jedenfalls nicht übernommen.

96 Coldstream 77 XVIII.6.11.23.26 (mit Zickzackband zwischen den Reihen der Dreiecke).

Themen der Bemalung

I. AUSSENSEITE

1. Tiere

Vogelreihe

Die große Gruppe der Schalen aus der Birdseed-Werkstatt[97] ist außen in der Henkelzone meistens mit einer Vogelreihe mit schrägen Punktlinien bemalt. Senkrechte Striche schließen die Reihe vor dem Henkel ab. Auf dem Rand darüber und darunter auf der Wandung sind verschiedene umlaufende Ornamentzonen angebracht wie Schachbrett, Rautenkette, Zickzack u. a.

Rehe

Ein richtiger Tierfries erscheint nur ein einziges Mal auf der Außenseite der Schale Ker. 1319, Nr. 10, Taf. 12–13. Die äsenden Rehe in der Henkelzone und die drei umgekehrt gemalten Rehe im unteren Teil der Wandung entsprechen ganz den Tieren im Inneren (s. u. 53).

Rind

Im unteren Streifen auf der Außenseite der Schale Ker. 1319, Nr. 10, Taf. 12–13 schreitet zwischen den grasenden Rehen ein einzelnes Rind (s. Rinder auf der Innenseite).

2. Dreifußkessel

Die Außenseite der Schale Athen, Nat.Mus. 874, Nr. 62, Taf. 14 ist mit je vier Dreifußkesseln mit Ringhenkeln zwischen senkrechten Strichgruppen verziert. Auf der einen Seite ist versucht worden, die Breite der Beine und vielleicht auch ihre Riefelung durch einen dicken Strich und zwei ihn seitlich begleitende dünnere Linien wiederzugeben.
Dreifußkessel werden in der attisch spätgeometrischen Keramik häufiger dargestellt und besitzen im Zusammenhang mit den anderen Szenen desselben Gefäßes oft die Bedeutung eines Preises[98].

---

97 S. Kapitel »Werkstätten« 40.
98 Als Preis bei Leichenspielen: Louvre A 547, CVA.11 Taf. 14,8. New York, Metr.Mus. 14.130.15, JHS. 86 (1966) Taf. IIId. New York, Metr.Mus. 14.130.14, Ahlberg, Prothesis and Ekphora (1971) Abb. 25. Als Preis im Faust-kampf: Frgt. Sarajewo, Hampe Abb. 25. Ähnliche Verzierung der Außenseite auf einem Kantharos Athen, Nat.Mus., Slg. Empedokles, Benton, BSA. 35 (1934–35) Taf. 26,3; vgl. auch Agora VIII Nr. 305 Taf. 18. Graef-Langlotz, Akropolisvasen I (1925) Nr. 298.

Eine Deutung der Dreifußkessel auf dieser Schale, Nr. 62, soll im Zusammenhang mit dem Innenbild gegeben werden.

3. Ornamente

Alle übrigen Schalen sind außen rein ornamental verziert oder dunkel überzogen bis auf einige Umlaufstreifen auf dem Rand.

Eine Übertragung der üblicherweise um das ganze Gefäß umlaufenden Metopen und Triglyphen-Gliederung in die beiden Abschnitte der Henkelzone findet sich auf folgenden Schalen: Thorikos TC 66.188, Nr. 48, Brüssel A 2113, Nr. 71 Taf. 25b, Ker. 2859, Nr. 12, München 6029, Nr. 84, Taf. 17, Athen, Nat.Mus. 784, Nr. 24, Taf. 20, Piräusstr. 57 Gr. XV, Nr. 25, Basel, Slg. Erlenmeyer, Nr. 68, Taf. 29, Athen, Brit. School Mus. K. 3, Nr. 41, Taf. 30. Einen seitlichen Abschluß der breiten Felder durch Triglyphen vor dem Henkel zeigen die Schalen Edinburgh 1956.422, Nr. 73, Taf. 9 und Athen, Nat.Mus. 18442, Nr. 63, Taf. 16. Rand und unterer Teil der Wandung sind mit Umlaufstreifen und schmalen Ornamentbändern verziert.

Bei einer Anzahl von Schalen ist das durch senkrechte Striche begrenzte Feld in der Henkelzone mit mehrfachen horizontalen Zickzacklinien übereinander gefüllt: Malibu, J. Paul Getty Mus. Slg. Cohn L 73. AE. 26, Nr. 82, Athen, Nat.Mus. 14475, Nr. 31, Taf. 15, Louvre CA 1781, Nr. 92, Luzern, Privatbesitz, Nr. 80, Taf. 26, London, Brit. Mus. 1865.7–20.11, Nr. 78, Taf. 27, Athen, Nat.Mus. 343, Nr. 22, Kallithea 1092, Nr. 39 und besonders häufig bei Schalen der Werkstatt von Athen 894 (s. 47). Am Rand und im unteren Teil der Wandung folgen verschiedene einfache Ornamentzonen. Anderen Schalen sind zur Füllung der Henkelzone gebrochene vertikale Linien aufgemalt: Ker. 2860, Nr. 13, Eleusis 709, Nr. 34, Taf. 32, Athen, Nat.Mus. 18488, Nr. 65, München 6401, Nr. 87 und München 8506, Nr. 88.

Ein großer Teil der Schalen ist außen in der Henkelzone mit verschiedenen Ornamentbändern verziert, z. B. stehenden gegitterten Dreiecken mit verschiedenen Füllmotiven, Wolfszahn aus gegitterten Dreiecken, Rautenketten, kurzen senkrechten Strichen, Zinnenmäander. Auf dem Rand und im unteren Teil der Wandung folgen einfachere Ornamente, häufig nur Umlauflinien. Bei einigen Schalen ist die Henkelzone im wesentlichen tongrundig gehalten und mit wenigen einzelnen Motiven verziert. Der untere Teil der Wandung ist dann dunkel überzogen oder mit Umlaufstreifen bemalt. Mehrere Schalen sind an der ganzen Wandung außen dunkel überzogen, bis auf einige Umlaufstreifen am Rand oder ganz unten.

Henkel und Böden

Die Henkel sind entweder mit einer Punktreihe oder mit Querstrichen zwischen Längslinien verziert oder dunkel überzogen. Sie unterscheiden sich darin nicht von der Henkeldekoration der üblichen Skyphoi.

Die Böden sind meist tongrundig gelassen, manche sind mit konzentrischen Kreisen verziert, besonders in der Werkstatt von Athen 894 (s. 47); eine ausführlichere Dekoration zeigen die Schalen Athen, Nat.Mus. 13038, Nr. 53, Athen, Brit. School Mus. A 343, Nr. 67. Eleusis 1682, Nr. 36 und Athen, Nat.Mus. 14441, Nr. 30: Wagenrad von verschiedenen Ornamenten umgeben, Rosette, antithetische Vögel.

Zusammenfassung

Die Außenseite der Schalen ist vorwiegend ornamental verziert. Eine figürliche Bemalung wie die Tierfriese der Schale Ker. 1319, Nr. 10, Taf. 12–13 bildet die Ausnahme, häufiger sind dagegen die Vogelreihen in der Henkelzone, die wir aus der Birdseed-Werkstatt als beliebtes Motiv kennen. Das Thema der Dreifußkessel kommt nur einmal auf Schalen vor (s. auch unten). Im Dekorationssystem der Außenseite wird die Henkelzone betont, denn sie ist höher als die übrigen Ornamentbänder und trägt im allgemeinen eine aufwendigere und reichere Verzierung im Vergleich zu den anderen Ornamentstreifen der Außenseite. Die Betonung der Henkelzone entspricht ganz dem Dekorationssystem der Skyphoi mit Rund- oder Bandhenkeln, die allerdings im unteren Teil der Wandung meist dunkel überzogen sind und nicht eine solche Vielfalt an verschiedenen Ornamentzonen aufweisen, wie sie bei den Schalen auftritt.

II. INNENSEITE

Die Dekoration der Schaleninnenseiten gliedert sich in mehrere konzentrische Zonen, die untereinander durch Kreislinien abgeteilt sind. Ins Zentrum ist meist ein Kreisornament gesetzt. Die Zone direkt unter dem Rand ist in vielen Fällen höher als die übrigen und trägt figürliche Darstellungen. Der Rand und der übrige Teil der Wandung sind meist mit verschiedenen schmalen Ornamentbändern verziert.

1. Tiere

Vögel

In die Zone direkt unter dem Rand ist in manchen Schalen der Birdseed-Werkstatt ringsum eine Vogelreihe mit schrägen Punktlinien gemalt: München 6220, Nr. 85, Taf. 2, Bonn, V.I.1632, Nr. 70, Taf. 3, Ker. 788, Nr. 5, Taf. 5, Edinburgh 1956.423, Nr. 74, Taf. 4, Athen, Brit. School Mus. A 343, Nr. 67, Manchester III H 43, Nr. 83, Taf. 6, Brauron, aus Merenta Gr. 27, Nr. 43. Außerhalb der Birdseed-Werkstatt gibt es Vogelreihen auf der Schale vom Südabhang der Akropolis 1959-NAK-27, Nr. 28, auf dem Fragment Agora P 12277, Nr. 59, auf Ker. 4362, Nr. 16 und auf Athen, Nat.Mus. 18442, Nr. 63, Taf. 16. Bei den Einzelformen Eleusis 1682, Nr. 36, Taf. 36 und Laon 37.772, Nr. 76 ist die Vogelreihe auf den Rand gemalt.
Vogeldarstellungen gibt es in der attischen Keramik seit MG II[99], die Vogelreihe mit schrägen Punktlinien erscheint erstmals in der Lambros-Werkstatt[100] und ist eines der beliebtesten Motive der Birdseed-Werkstatt.

Pferde

Die Schalen Athen, Nat.Mus. 15283, Nr. 46, Taf. 18, Thorikos TC 66.188, Nr. 48, die verschollene Schale Nr. 95, Taf. 25a, Luzern, Privatbesitz, Nr. 80, Taf. 26, London 1895.7-20.11, Nr. 78, Taf. 27 und Ker. 2859, Nr. 12, Abb. 5 S. 48 sind in einer hohen Zone unterhalb des Randes mit einem Fries schreitender Pferde bemalt. Eine entsprechende Darstellung trug wahrscheinlich auch das Frag-

---

99 Coldstream 26f.   100 Coldstream 44f.

ment Ker. 4368, Nr. 19, wie der erhaltene Rest erkennen läßt. Einen Fries grasender Pferde zeigen die Schalen Agora P 5503, Nr. 27, Taf. 24a, wahrscheinlich auch Ker. 4369, Nr. 20, Taf. 24b, Brüssel A 2113, Nr. 71, Taf. 25b und Athen, Nat.Mus. 343, Nr. 22. Auf der Schale Athen, Nat.Mus. 13038, Nr. 53, Taf. 1 und Abb. 10 S. 63 kommt einmal die Gruppe des Pferdehalters vor; links daneben sind zwei Reiter hintereinander gemalt (s. u. Menschen).

Pferdedarstellungen gehören zu den häufigsten und geläufigsten Motiven der geometrischen Kunst. Die Pferde auf den Schalen unterscheiden sich in keiner Weise von den sonst auf geometrischen Vasen abgebildeten Pferden und gehören in jeder Hinsicht dem Repertoire der spätgeometrischen Vasenmaler an. Eine ausführlichere Untersuchung der Pferdedarstellungen und ihrer Bedeutung geht über den Rahmen dieser Arbeit hinaus[101].

Hunde

Im Fries der verschollenen Schale, Nr. 95, Taf. 25a ist zwischen die schreitenden Pferde ein aufgerichteter Hund gemalt, ein Unikum innerhalb der attisch geometrischen Vasenmalerei. Die Stilisierung des Körpers mit der tapirähnlichen Schnauze und dem gerade abstehenden Schwanz ist gut bekannt von anderen Hundedarstellungen der Werkstatt von Athen 894, die allerdings in einer anderen Position wiedergegeben sind. In dieser Haltung war der Hund auf dem Ker. Fragment 4363, Nr. 17 gemalt, von dem nur das Hinterteil erhalten ist.

Hunde werden in der attisch geometrischen Vasenmalerei seit der Phase SG Ib in der Hunt Group und anderen SG II-Werkstätten[102] dargestellt.

Rehe

Friese äsender Rehe kommen auf den Schalen Ker. 1319, Nr. 10, Taf. 12–13, München 8506, Nr. 88, Würzburg H. 5051, Nr. 94, Taf. 19, München 6229, Nr. 86 und Louvre CA 1633, Nr. 87 in den konzentrischen Streifen unterhalb des Randes vor; bei Ker. 1319, Nr. 10 auch in zwei Streifen auf der Außenseite. Am Kopf zeigen zwei lange dünne Striche in die Höhe, die wahrscheinlich einmal aus der Zeichnung des Geweihs entstanden sind[103]. Jetzt wurden sie als Ohren aufgefaßt, wie ein Reh auf der Schale München 8506, Nr. 88 zeigt. Hier sind die Ohren eindeutig im Umriß gegeben wie auf der Amphora Baltimore 48.2231, die aus derselben Werkstatt von Athen 894 stammt[104].

Die Friese mit Rehen wurden wie die anderen Tierfriese von der Dipylon-Werkstatt eingeführt und zeigen die Rehe immer mit gesenktem Kopf in grasender Stellung. Diese Stellung des Tieres erscheint in gleicher Weise bei Hirschen mit Geweih auf syrisch-phönizischen Elfenbeinen von Arslan Tasch und Nimrud und bei den Rehen einer Schale von Francavilla, Or. 102[105], Abb. 6. Auf den Elfenbeinen sind die Hirsche meist in einzelnen Feldern wiedergegeben, aber auf der Schale

101 Für eine chthonische Deutung: Malten, JdI. 29 (1914) 179 ff. Schweitzer, Herakles (1922) 77 f., 90 ff. Schachermeyr, Poseidon (1950). Yalouris, MusHelv. 7 (1950) 19 ff. Kübler, Ker. V, 1, 27 mit Anm. 66; 31 f. Papaspyridi-Karouzou, Ἀγγεῖα τοῦ Ἀναγυροῦντος (1963) 108 ff. Schweitzer 55 f. Fittschen 75; 110 Anm. 547. Gegen eine chthonische Deutung: Nilsson, Geschichte der griechischen Religion² (1955) 382 f., 448 f. Wiesner F 64 f., 72 ff. F. Hölscher, CVA Würzburg 1 (1975) zu Taf. 6, 1–4: Deutung der Gespannpferde als Standeszeichen.

102 Coldstream 76.

103 Vgl. Louvre A 514, attische Pyxis MG II, Coldstream 27 Taf. 4f. = CVA. Louvre 16 Taf. 3 und 50.

104 Davison Abb. 35. Coldstream 58 VII.7.

105 Decamps de Mertzenfeld, Inventaire commenté des ivoires phéniciens (1954) Nr. 879.880. Barnett C 35 Taf. II. AttiMGrecia 1970–71 Taf. VIII (Or. 102, diese Numerierung bezieht sich auf die Liste der orientalischen Metallschalen im folgenden Kapitel).

Abb. 6 Sibari, Antiquarium della Sibaritide. Vgl. S. 78, Or. 102.

von Francavilla folgen die grasenden Rehe in einer Reihe hintereinander genau wie auf der attisch
spätgeometrischen Keramik. Da die Rehe bei ihrem ersten Auftauchen im attisch Spätgeometrischen – wenn man von dem einzelnen Hirsch der MG II-Pyxis Louvre A 514 absieht[106] – immer in
diesem Typ der grasenden Tiere wiedergegeben werden, erscheint die Frage berechtigt, ob hier
eine Abhängigkeit von den syrisch-phönizischen Stücken vorliegt[107].

Ziegen

Im inneren, direkt um das Zentrum gelegten Fries der Schale Ker. 1319, Nr. 10, Taf. 12–13 sind stehende Ziegenböcke[108] gemalt. Sie haben den Kopf erhoben, deutlich ist am Kinn der Bart angegeben[109].

106 S. Anm. 103.
107 Carter, BSA. 67 (1972) 41.
108 Ziegenbock ist hier nicht als zoologischer Terminus
gebraucht, wahrscheinlich ist eine Art Wildziege gemeint
(capra aegagrus). Eine zoologisch eindeutige Wiedergabe
übersteigt die Darstellungsmöglichkeiten der geometri-

schen Kunst. Zu den Böcken der orientalisierenden Kunst
vgl.: Kinch, Fouilles de Vroulia (1914) 265 ff. Schiering,
Werkstätten orientalisierender Keramik auf Rhodos
(1967) 43 ff. Canciani 94.
109 Der deutliche Bart widerlegt die Benennung
Schweitzers 53 f. als Gazellen.

54

Darstellungen von Ziegen sind im Spätgeometrischen häufiger anzutreffen. Ein einzelner stehender Ziegenbock ist für MG II auf einer Oinochoe vom Kerameikos belegt[110]. Friese liegender Ziegen mit zurückgewandtem Kopf werden in SG Ia vom Dipylon-Meister eingeführt[111]. Einen Fries schreitender Ziegenböcke findet man erstmals in SG Ib in der Hirschfeld-Werkstatt[112]. Einige weitere Friese schreitender Ziegen kennen wir auf Gefäßen der Phase SG II[113].

Die Tatsache, daß die Ziegen in der attischen Vasenmalerei sofort in der speziellen Pose der liegenden Böcke des Dipylon-Meisters auftreten, gab Anlaß zu der Überlegung, ob sie nicht aus der orientalischen Kunst entlehnt sind, wo wir Ziegen genau in dieser Haltung in der nordsyrischen Glyptik und schon im 2. Jt. v. Chr. auf mitannischen Siegeln kennen[114]. Die schreitenden Böcke der griechischen orientalisierenden Kunst sind bereits überzeugend von syrisch-phönizischen Denkmälern abgeleitet worden[115]. Es liegt nahe, eine entsprechende Übernahme auch schon für die spätgeometrische Zeit anzunehmen. Schreitende Ziegen in dieser Stellung mit erhobenem Kopf kennen wir auf syrisch-phönizischen Metallschalen aus Nimrud, manchmal ebenfalls in rundgeführten Friesen hintereinander; springende Ziegen gibt es auf der importierten Bronzeschale aus Kerameikos Gr. 42, Or. 92, Abb. 7)[116].

Rinder

Das bereits erwähnte Rind auf der Außenseite der Schale Ker. 1319, Nr. 10, Taf. 12–13 entspricht in der Art der Zeichnung dem geometrischen Stil der anderen Tiere dieser Schale. Die beiden Hörner, die sich ringförmig zueinander krümmen, der rechteckige Kopf und der lange Schwanz kennzeichnen das Rind.

Ganz anders ist der Stier im Innenfries der Schale Athen, Nat.Mus. 13038, Nr. 53, Taf. 1 u. Abb. 10 (S. 63). Die massige Wiedergabe seines Körpers fällt besonders auf im Vergleich mit den Pferden desselben Innenfrieses. Der dicke Kopf endet breit, ein großer Kreis ist für das Auge ausgespart. Besonders kennzeichnend ist die Angabe des Stiernackens durch einen Buckel am Rücken. Die beiden Hörner sind als Halbkreisbogen wiedergegeben, neben dem linken Horn ein kleiner Strich für das Ohr, der Schwanz hängt als Wellenlinie herab.

Die beiden antithetischen Rinder der Schale Edinburgh 1956.422, Nr. 73, Taf. 8–9 sind in ihrer Körperform sehr gut charakterisiert. Ihre Körper sind schwer und massig, vorn hängt die Wamme herab, an Schulter, Hals und Rücken sind Partien ausgespart und kreuzweise schraffiert, hinten baumeln die langen Schwänze. Der Kopf hat Trapezform, die beiden Hörner sind zueinander gebogen.

Die vier symmetrisch als antithetische Gruppen angeordneten Stiere auf der Schale Athen, Nat.Mus. 14475, Nr. 31, Taf. 15 haben weniger prägnante Körperformen. Ihr walzenförmiger Körper unterscheidet sich aber deutlich von geometrischen Tierdarstellungen, die sonst einen Einschnitt zwischen Vorder- und Hinterteil zeigen. Das Auge ist ebenfalls ausgespart, die Hörner

110 AM. 81 (1966) 11 Beil. 15,2–3 = Carter, BSA. 67 (1972) Taf. 5b.
111 Coldstream 29 ff. I.1.7.18.32.42.43.
112 Breithalskanne Dunedin E 57.155, Coldstream 42 II.14. Taf. 8e.
113 One-piece-Oinochoe, Delt. 18 (1963) Taf. 39β–γ. Oinochoe Ker.369 aus Opferrinne 2, Ker. V,1 Taf. 78. Breithalskanne, Delt.17 (1961–62) Taf. 24.
114 Carter, BSA. 67 (1972) 40 f. Taf. 6c. Vgl. auch Conte-

nau, La glyptique syro-hittite (1952) 285.286.292 u. a. Coldstream, Gnomon 46 (1974) 273 ff. tritt mit Recht gegen eine mykenische Ableitung der liegenden Böcke ein, wie sie Benson, Horse, Bird and Man (1970) 58 f. annimmt.
115 Vgl. Kunze 162 ff.
116 London Brit.Mus. N.23 (Or. 12), N.66 (Or. 14), N.18 (Or. 15), N.54 (Or. 24), N.6 (Or. 34), Layard Taf. 57 C, 57 E, 58 A, 59 D, 66. Athen, Ker.M 5 aus Gr.42, Ker.V,1 Taf. 162 (Or. 92).

Abb. 7. Athen, Ker. M 5, vgl. S. 78, Or. 92.

sind als gerade Striche nach vorn und hinten wiedergegeben und heben sich nur wenig von der Rückenlinie ab. Hinten hängen die Schwänze als Wellenlinie herunter.

Im Innenfries der Basler Schale, Nr. 68, Taf. 28–29 schreiten drei Rinder im Kreis, zwei davon besitzen besonders langgestreckte Körper, der Einschnitt vor den Hinterschenkeln entspricht der geometrischen Tierwiedergabe. Die trapezförmigen Köpfe sind ausgespart und mit Innenzeichnung und Strichelung versehen, es ist jeweils nur ein nach vorn gerichtetes Horn angegeben, bei einem Rind ein kleiner Strich dahinter als Ohr. Der herabhängende Schwanz ist als Wellenlinie gezeichnet und verzweigt sich unten zu einer Quaste aus drei Wellenlinien.

Darstellungen von Rindern kommen in der geometrischen Flächenkunst äußerst selten vor[117]. Die Schalen Athen, Nat.Mus. 13038, Nr. 53 und Ker. 1319, Nr. 10 sind die frühesten erhaltenen Beispiele, denn die Rinderdarstellungen außerhalb der Schalen gehören alle schon der Phase SG IIb an. Auf dem Krater Agora P 22440[118] sind die Stiere ungefähr im Schema der Pferde des oberen Frieses wiedergegeben, Körper und Kopf sind aber viel massiger und dicker dargestellt. Soweit es zu sehen ist, haben sie zwei nach vorn gerichtete Hörner. Einen ähnlichen Körperbau zeigt der fragmentarisch erhaltene Stier der Oinochoe Agora P 21440[119], der von einem Mann geführt wird.

---

117 Allerdings gibt es zahlreiche kleine Bronzefiguren von Stieren, die in die Heiligtümer geweiht wurden.
118 Agora P 22440: Brann, Hesp. 30 (1961) 126f. M 7 Taf. 17 mit Lit. zu Rindern. Agora VIII Nr. 339 Taf. 20. Coldstream 78 Nr. 35.
119 Agora P 21440: Brann, Hesp.30 (1961) P 10 Taf. 14. Agora VIII Nr. 340 Taf. 20. Fittschen 44 K 6.

56

Er besaß offenbar nur ein nach vorn gerichtetes Horn. Einen ähnlichen, schon ins Frühprotoattische weisenden Stier gibt es auf dem Kantharos Oxford 1927.4332[120]. In der massigen Art des Körperbaus stehen die Stiere im Halsbild der Kanne Eleusis 724, die einander in weidender Haltung gegenüber stehen, der Schale Edinburgh 1956.422, Nr. 73 nahe. Die beiden, in einem offenen Bogen gekrümmten Hörner der Stiere auf der Kanne Eleusis 724 zeigt auch ein anderes Fragment in Eleusis, das wohl schon dem frühprotoattischen Stil angehört, und auf dem zwei hintereinander schreitende Stiere mit gesenktem Kopf abgebildet sind.

Die geometrischen Rinderdarstellungen fallen stilistisch aus dem Rahmen der in der geometrischen Vasenmalerei üblichen Wiedergabe von Tieren, die nur Gliedmaßen und Schenkel zu haben scheinen und ausgesprochen mager dargestellt werden. Im Unterschied dazu sind die Rinder als schwere Tiere mit großer Körpermasse wiedergegeben. Der Vergleich zwischen den geometrischen Pferden und dem Stier der Schale Athen, Nat.Mus. 13038, Nr. 53 weist deutlich darauf hin, daß der Stier in der Art der Wiedergabe hier ein Fremdling ist, der wohl von den zahlreichen, nach Griechenland eingeführten orientalischen Denkmälern übernommen wurde[120a].

In ihrer schreitenden Haltung mit gesenktem Kopf entsprechen die genannten geometrischen Darstellungen den syrisch-phönizischen Rindern, wie sie häufig auf Elfenbeinen und besonders auf den getriebenen Metallschalen begegnen, in rundgeführten Friesen hintereinander schreitend oder als antithetische Gruppen[121]. Sie geben die Rinder fast ausschließlich mit einem nach vorn gerichteten Horn wieder. Ob die Rinder mit halbkreisförmig gebogenen Hörnern auf den attischen Keramikschalen von stärker ägyptisierenden Rindern abgeleitet sind, wie man sie ebenfalls auf einigen der syrisch-phönizischen Metallarbeiten findet[122], oder ob es sich dabei um eine vervollständigende Zutat des attischen Vasenmalers handelt, kann nicht eindeutig entschieden werden. Auffallend ist, daß die Schraffierung bei den Rindern der Schale London, Brit. Mus. N. 29, Or. 26 aus Nimrud und denen der Schalen Olympia Br 8555, Or. 97, Taf. 28a und Abb. 8, S. 58 und Olympia B 6049, Or. 98[123] an den gleichen Zonen auftritt wie bei den attischen Rindern der Schale Edinburgh 1956.422, Nr. 73. Der karierte untere Teil des Kopfes findet seine Entsprechung auf dem Elfenbein von Hama[124]. Bei diesen Details muß man offen lassen, ob es sich um direkte Übernahmen von den orientalischen Vorlagen handelt oder um dem geometrischen Vasenmaler naheliegende Möglichkeiten. Wenn auf den orientalischen Schalen und Elfenbeinen gegeneinander gestellte Rinder wiedergegeben sind, handelt es sich meist um eine Kampfgruppe; eine Ausnahme

120 Beazley's Gifts 1912–1966, Ashmolean Museum (1967) Taf. IV Nr. 54. Coldstream 64 Anm. 6.

120a Einen stilistischen Einfluß des orientalischen Vorbildes besonders auf die Rinder von Nr. 31 nimmt Kunze 248 an.

121 Im Fries hintereinander schreitend: London Brit.Mus. N.29 aus Nimrud, Layard Taf. 60 (Or. 26). Teheran 15192, Culican, Syria 47 (1970) Taf. VIII (Or. 52). Teheran Kunsthandel, Culican, Syria 47 (1970) Abb. 5 (Or. 55). Louvre AO 4702, Gjerstad Taf. II (Or. 100). Aus Fortetsa Gr.P, Brock, Fortetsa (1957) Nr. 1559 Taf. 114 (Or. 80). Mykonos, aus Rheneia, Kunze 159 Anm. 35 (Or. 90 und 91). Athen, Ker.M 5 aus Gr. 42, Ker. V,1 Taf. 162 (Or. 92). Olympia Br 8555, Olympia IV Nr. 884, Taf. 52 (Or. 97). Olympia B 6049, Kunze, Delt. 19 (1964) 167f. Taf. 172a (Or. 98). Aus Francavilla, Zancani Montuoro, AttiMGrecia 1970–71, Taf. VIII (Or. 102).
Vgl. Iraklion Nr. 24, Canciani 88f. Nr. 69 (Or. 85) und Nr.

94 (Or. 89). Cambridge GR 8.1968, Arch.Rep. 1970–71, 74f.: graeco-phönizisch (Nr. 101). Fayencenachahmungen derartiger Metallschalen aus El Kurru, Dunham, Royal Cemeteries of Kush I, El Kurru (1950) Abb. 31e Taf. 64.
Antithetische Gruppe: London Brit.Mus. N.26, Layard Taf. 57 A (Or. 10). New York, Metr.Mus. Cesn.Coll. 4554, Gjerstad Taf. VII (Or. 64).
Für Elfenbein vgl.: Barnett S. 51.129.137.143.

122 New York, Metr.Mus. Cesn.Coll. 4553, Gjerstad Taf. XI (Or. 70). Rom, Villa Giulia, aus der Tomba Bernardini Nr. 23 und 24 (Nr. 110), Densmore Curtis, MemAmAc. III (1919) Taf. 12,16,19. Aus Caere, Poulsen Abb. 18.

123 Vgl. auch die Schale aus dem Kunsthandel Teheran, Culican, Syria 47 (1970) 74f. Abb. 5 (Or. 55).

124 Barnett Abb. 12, vgl. auch die kleinen Figuren von Kälbern Barnett S. 362 Taf. LI ff.

bilden die antithetischen Rinder der Schale London, Brit.Mus. N. 26, Or. 10 aus Nimrud. Jedoch wurden die Elfenbeinplatten mit schreitenden Rindern, die größtenteils zu Möbelstücken gehörten, meist antithetisch angeordnet, wie es besonders in der assyrischen Kunst beliebt war. Antithetische Tiergruppen, meist mit einem großen Kreisornament in der Mitte, gibt es auch auf Elfenbeinen des assyrischen Stils[125]. Die antithetische Gruppierung der Rinder auf der Schale Athen, Nat.Mus. 14475, Nr. 31 ist sicher von orientalischen Denkmälern angeregt. Eine direkte Übernahme des Motivs der hintereinander schreitenden Rinder im Innenrund der syrisch-phönizischen Metallschalen[126] scheint bei der Basler Schale, Nr. 68 vorzuliegen, die ebenfalls einen rundgeführten Fries mit hintereinander schreitenden Rindern zeigt, dem thematisch besonders vergleichbar die Schale Olympia Br 8555, Or. 97, Taf. 28a und Abb. 8, und Olympia B 6049, Or. 98, sind.

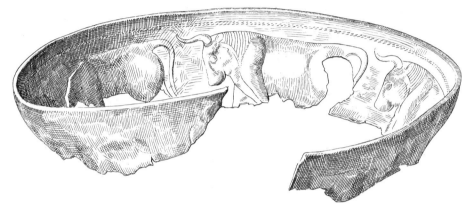

Abb. 8. Olympia Br 8555, vgl. S. 78, Or. 97.

Löwen

Ein Fries schreitender Löwen erscheint auf der Schale Würzburg L. 58, Nr. 93, Taf. 22 und auf der Schale aus der Piräusstraße, Nr. 25. Im Innenfries der Athener Schale, Nr. 25, schreiten fünf Löwen mit mächtigem Kopf und Vorderkörper, das Maul aufgerissen. Das Auge ist ausgespart, die Ohren im Umriß gegeben, der Schwanz ist über den Rücken erhoben und endet in einer S-Kurve. An den Beinen sind deutlich die krallenbewehrten Pranken zu erkennen. Die Vorderbeine sind im Vergleich zu dem großen Kopf und Vorderkörper sehr kurz geraten.

Die vier Löwen im Innenfries der Würzburger Schale L. 58, Nr. 93, sind in einer anderen Stellung wiedergegeben: sie halten eine Vorderpranke erhoben. Auch sie haben ein aufgerissenes Maul, das bei allen geometrischen Löwendarstellungen zu finden ist, außerdem das ausgesparte Auge, große Pranken und den·über dem Rücken spiralartig eingerollten Schwanz.

Wie die erhaltenen Fragmente von Ker. 4370, Nr. 21, Taf. 24c u. Abb. 1, S. 7 zeigen, waren im Innenfries dieser Schale mindestens zwei hintereinander schreitende Löwen dargestellt, hinter einem der Löwen folgte ein Krieger mit Dipylonschild und Speer. Die Löwen entsprechen in ihrer Stilisierung mit aufgerissenem Maul und aufgebogenem Oberkiefer und dem etwas eckigen Hinterteil mit dem über dem Rücken eingerollten Schwanz den Löwen der Werkstatt von Athen 894, der auch die Schale Würzburg L. 58, Nr. 93 angehört (s. 44ff.).

125 Barnett T. 11 Taf. XIII. Parrot, Assur (1961) Abb. 341. Mallowan, Nimrud and its Remains II (1966) Abb. 253.
126 Die schreitenden Rinder als Hauptthema bei folgenden syrisch-phönizischen Schalen: Teheran 15192, Culican, Syria 47 (1970) 71ff. Taf. VIII (Or. 52). Olympia Br 8555, Olympia IV Nr. 884 Taf. 52 (Or. 97). Mykonos, aus Rheneia, Kunze 159 Anm. 35 (Or. 90 und 91).

Ein einzelner Löwe findet sich auf der Schale Edinburgh 1956.422, Nr. 73, Taf. 8–9. Am Kopf ist die Mähne durch eine ausgesparte Partie angegeben, die kreuzweise schraffiert ist, darüber das ausgesparte Auge. Aus dem aufgerissenen Maul hängt weit die Zunge heraus.

Im Tondo[127] der Schale Louvre CA 1781, Nr. 92, ist ein Löwe mit zurückgewandtem Kopf dargestellt. Er hat die charakteristischen Löwenpranken, den erhobenen Schwanz, der sich zu einer Spirale einrollt, das aufgerissene Maul mit nach außen gebogenen Kiefern, wie es manchmal bei spätgeometrischen Löwendarstellungen anzutreffen ist, besonders in der Werkstatt von Athen 894[128]. Deutlich sind auch die Zähne und die heraushängende Zunge angegeben. Der Körper ist ausgespart und gegittert.

Eine antithetische Gruppe bilden die beiden Löwen der Schale Athen, Nat.Mus. 14475, Nr. 31, Taf. 15, zwischen ihren aufgerissenen Mäulern ist ein kleiner Mann gemalt, den sie zu verschlingen drohen. Ein Auge ist bei ihnen nicht angegeben, die Beine haben keine charakteristischen Löwenpranken, der Schwanz ist wie bei den anderen genannten Löwen über dem Rücken spiralartig eingerollt.

Löwen kommen in der spätgeometrischen Kunst häufiger vor. Schreitende Löwen in umlaufenden Friesen kennen wir in SG IIb aus der Werkstatt von Athen 894, aus der die Würzburger Schale L. 58, Nr. 93, und Ker. 4370, Nr. 21 stammen. Sonst sind die Löwen meist mit einem Beutetier zusammen dargestellt oder im Kampf mit Menschen wiedergegeben. Gelagerte Löwen erscheinen auf Gefäßen des Löwen-Malers[129].

Eine Gruppe menschenverschlingender Löwen, die antithetisch angeordnet sind, wie auf der Schale Athen, Nat.Mus. 14475, Nr. 31, gibt es auf dem Kantharos Kopenhagen 727 der Phase SG IIa und außerhalb der Keramik auf den geometrischen Goldbändern und einer böotischen Plattenfibel[130].

a

b

Abb. 9. a London, Brit. Mus. N. 7, vgl. S. 76, Or. 42. b London, Brit. Mus. N. 8, vgl. S. 76, Or. 43.

127 Andere Beispiele für den Tondo im Spätgeometrischen: Agora P 5282, Agora VIII Nr. 337 Taf. 19. Ker. 1168, Ker.V,1 Taf. 137, Tölle, AA. 1963, 657ff. Nr. 18 Abb. 15.

128 Amphora Essen K 969, Tölle Taf. 13, besonders die Löwen direkt unter der Mündung. Krater Cambridge,

Tölle, AA. 1963, 222 Abb. 5. Kauffmann-Samaras, CVA. Louvre 16, zu Taf. 36 hält das Tier auf der Schale Louvre CA 1781 für einen Hirsch (?).

129 Coldstream 73f.

130 Fittschen 76f. L 1–5.

Das Löwenbild, das im 7. Jh. v. Chr. in Griechenland ungemein an Häufigkeit zunimmt, ist offenbar schon in geometrischer Zeit vom Orient übernommen, wo es zu den häufigsten und beliebtesten Darstellungen gehört. Besonders nahe Parallelen gibt es für die Löwen der Würzburger Schale L. 58, Nr. 93, und die Löwen auf der Amphora Essen K 969 in der gleichen Stellung mit erhobener Vorderpranke; beide Gefäße stammen aus der Werkstatt von Athen 894. Löwen in dieser Stellung, die als Angriffshaltung motiviert ist, begegnen auf den syrisch-phönizischen Bronzeschalen London, Brit. Mus. N. 8, Or. 43, Abb. 9, N. 29, Or. 26 aus Nimrud und auf der Schale Oxford G 401, Or. 99, Taf. 23 aus Olympia, wo sie Menschen auf einem Wagen oder Tiere angreifen. Auf einigen Schalen, London, Brit. Mus. N. 7, Or. 42, Abb. 9 und Ker. M 5 aus Gr. 42, Or. 92, Abb. 7 (S. 56) finden sich auch einzelne Löwen und hintereinander schreitende im inneren Fries der oben genannten Schale Oxford G 401 aus Olympia, Or. 99. Dies entspricht der Anordnung der Löwen auf der attischen Schale aus der Piräusstraße, Nr. 25, und auf der Würzburger Schale L.58, Nr. 93. In manchen Fällen werden die Schwänze der syrisch-phönizischen Löwen über dem Rücken wiedergegeben[131], wie es bei den geometrischen Löwen üblich ist. Die griechischen Löwenbilder vom Übergang zum Protoattischen zeigen die Schwänze zwischen den Hinterbeinen herabhängend und am Ende eingerollt; diese Form ist ebenfalls auf den orientalischen Schalen vertreten. Dort erscheint auch das Motiv der Löwen mit zurückgewandtem Kopf[132].

Für die antithetischen Löwengruppen, die zwischen sich einen Mann verschlingen, gibt es im Orient kein direktes Vorbild. Wie Scheibler nachgewiesen hat[133], ist das Kompositionsschema der antithetischen Gruppe vom Orient übernommen, wo es besonders in der assyrischen Kunst beliebt war. Es gibt zwar in der späthethitischen Kunst die heraldische Gruppe eines Mannes im Knielaufschema zwischen zwei Löwen auf einer Statuenbasis aus Sendschirli und eine ähnliche Darstellung auf einem syro-hethitischen Siegel[134], aber hier ist anders als auf den geometrischen Beispielen der Herr der Tiere dargestellt, nicht das Opfer der Löwen. Andererseits gibt es in der orientalischen Kunst Gruppen, wo zwei Löwen von beiden Seiten ein Beutetier anfallen[135]. Sicher kamen die Anregungen für die antithetischen Löwengruppen der geometrischen Kunst aus dem Orient, die inhaltliche Gestaltung ist jedoch eine eigene griechische Leistung.

Ähnliches gilt auch für die übrigen spätgeometrischen Löwenbilder. Daß die Anregung zu den geometrischen Löwendarstellungen von orientalischen Vorbildern ausging, ist durch die motivischen Ähnlichkeiten namentlich mit Löwen auf den genannten syrisch-phönizischen Metallschalen gesichert und wurde für die Löwen der frühen orientalisierenden Periode bereits nachgewiesen[136]. Der geometrische Künstler schuf aus den fremden Anregungen jedoch ein eigenes griechisches Löwenbild. Sein Hauptinteresse bei der Darstellung galt dem, was für ihn am Löwen wichtig war: das aufgerissene Maul, die gefährlichen Zähne, der »grimmige Blick« (χαροπός)[137], die Pranken mit ihren scharfen Krallen.

131 London Brit.Mus. N.17, Layard Taf. 64 (Or. 32). London Brit.Mus. N.27, Layard Taf. 65 (Or. 33).
132 London Brit.Mus. N.17, Layard Taf. 64 (Or. 32). Athen, Ker. M.5 aus Gr.42, Ker.V,1 Taf. 162 (Or. 92).
133 Scheibler, Die symmetrische Bildform in der frühgriechischen Flächenkunst (1960) 19 f.
134 Frankfort Taf. 163 = Schweitzer Taf. 71. Contenau, La glyptique syro-hittite (1922) Taf. XXIII 165.
135 Contenau, a. O. Taf. XXXVIII 289. Rom, Museo Greg. Etrusco, Silberschale aus der Tomba Regolini-Galassi, Perrot-Chipiez III Abb. 544 (Or. 107). Rom, Villa Giulia, Kessel aus der Tomba Bernardini Nr. 23, Densmore Curtis, MemAmAc. III (1919) Taf. 12 und 16.
136 Gabelmann, Studien zum frühgriechischen Löwenbild (1965) 9 ff.
137 Vgl. Od. 11, 611 und Hampe, Die Gleichnisse Homers und die Bildkunst seiner Zeit (1952) 32 f.

»Panther«

Im Innenfries der Schale Edinburgh 1956.422, Nr. 73, Taf. 8–9 ist ein »Panther«[138] dargestellt. Er hat einen langgestreckten Körper, an den Beinen besitzt er Pranken mit Krallen wie der ihm gegenüberstehende Löwe, hinten hängt der Schwanz herunter, der sich unten ein wenig aufbiegt. Der Kopf ist frontal herausgewendet, am Hals ist ein Stück ausgespart und kreuzweise schraffiert. Der en face wiedergegebene Kopf besteht aus einem ausgesparten Quadrat, in das ein Diagonalkreuz, zwei Punkte als Augen und ein Dreieck als Schnauze eingezeichnet sind.

Dieser »Panther« ist bisher die einzige Darstellung in der attisch spätgeometrischen Kunst. Außerhalb Attikas kennen wir einen Panther mit Kopf in Vorderansicht auf einem protokorinthischen Aryballos des letzten Viertels des 8. Jhs. v. Chr. aus dem Heraion von Argos[139]; bei diesem protokorinthischen Panther ist auch das gefleckte Fell angegeben. In der späteren protokorinthischen Vasenmalerei kommen Panther nur selten vor. Auch auf den protoattischen Vasen lassen sie sich nur selten belegen[140].

Im Orient werden verschiedene geflügelte Wesen häufig mit in Vorderansicht herausgewandtem Kopf wiedergegeben. Bei Löwen wird der Kopf en face manchmal bei Tierkampfgruppen wiedergegeben, wo es motivisch bedingt ist[141]. Auf einem Relief von Khorsabad hält ein Genius einen Löwen im Arm, dessen Körper im Profil gegeben ist, der aber den Kopf herauswendet[142]. Für griechische orientalisierende Panther wurde eine Abhängigkeit von späthethitischen Löwen, besonders des assyrisierenden Stils erkannt[143]. Doppelleibige Löwen, die einen en face gegebenen Kopf besitzen, gibt es auf einem assyrisierenden Goldblech von Ziwiye[144].

Die Anregung zu einem en face gegebenen Tierkopf kam wahrscheinlich aus dem Orient, die Formung des Typs des »Panthers« ist aber sicher eine eigene griechische Leistung[145].

2. Fabelwesen

Geflügelte Ziegenböcke

Merkwürdige ziegengestaltige Fabelwesen mit Flügeln, langen geschwungenen Hörnern und einem steil aufgerichteten Schwanz erscheinen auf der Schale Athen, Nat.Mus. 14441, Nr. 30, Taf. 21. Sie entsprechen ganz den geflügelten Ziegenböcken auf dem Becherkrug Louvre CA 1780 und zwei Kerameikos-Fragmenten, die aus derselben Werkstatt von Athen 894 stammen[146]. Diese Gefäße tragen die einzigen Darstellungen solcher Fabelwesen. Bei den Flügeln liegt es nahe, eine Entlehnung aus der orientalischen Kunst anzunehmen, in der geflügelte Wesen ungemein häufig

138 Üblicherweise werden die löwenähnlichen Raubtiere mit herausgewandtem Kopf Panther genannt, auch wenn es sich in manchen Fällen wahrscheinlich um Löwen handelt. Bei der Schale Edinburgh 1956.422, Nr. 73, ist keine sichere Entscheidung möglich.

139 Friis Johansen, Les vases sicyoniens (1923) Taf. XX,3.

140 Friis Johansen a. O. 133f. Graef-Langlotz, Akropolisvasen I (1925) Nr. 369.385. Ker.VI,2 (1970) 253ff. Taf. 1 Inv. 81, Taf. 22f. Inv. 74. Amphora, New York 11.210.1, Kübler, Altattische Malerei (1950) 46,2.

141 2. Jahrtausend v. Chr.: Akurgal, Späthethitische Bildkunst (1949) Abb. 34. 1. Jahrtausend v. Chr.: Frankfort Abb. 41, Taf. 169 A.

142 Parrot, Assur (1961) Abb. 36 und 38.

143 Schiering, Werkstätten orientalisierender Keramik auf Rhodos (1957) 52.

144 Ghirshman, Iran (1964) Abb. 383. Vgl. Barnett, Iraq 18 (1956) 111ff.

145 Ker.VI,2 (1970) 253ff. Vgl. Kunze Nr. 2 Taf. 3 und 5.

146 Coldstream 60ff. Nr. 43. CVA. Louvre 16 (1972) Taf. 39.

sind. In der syrisch-phönizischen Kunst trifft man ständig auf geflügelte Sphingen und Greifen und auf menschliche Gestalten mit Flügeln. Auch in der griechischen Kunst des 7. Jhs. v. Chr. sind Flügel – offenbar in Anlehnung an den Orient – sehr beliebt[147]. Die Zusammenstellung mit den übrigen tierischen Körperteilen der Ziegenböcke kann ein Erzeugnis der Phantasie des attischen Vasenmalers sein. Vielleicht gab es aber auch geflügelte Böcke auf syrisch-phönizischen Schalen oder anderen Denkmälern der Flachkunst, die uns nicht erhalten sind[148].

Sphingen

Im Innenfries der Schale Athen, Nat.Mus. 784, Nr. 24, Taf. 20 sind zwei sonderbare Fabelwesen in antithetischer Anordnung dargestellt, die anscheinend miteinander kämpfen. Sie haben einen menschlichen Oberkörper mit zwei Armen und einen geflügelten Tierleib, im Gegensatz zu den Kentauren der geometrischen Kunst aber tierische Vorderbeine. Wie die erhobenen Schwänze anzeigen, die sich über dem Rücken ringeln, sind Löwenleiber gemeint, denn dies sind typische Löwenschwänze[149]. In den beiden Fabelwesen sind also Sphingen zu erkennen[150].
Sphingen fehlen in der übrigen geometrischen Vasenmalerei vollständig, ein sphinxartiges, hockendes Wesen ist auf einem geometrischen Goldblech bekannt[151]. Erst in der frühen protoattischen Vasenmalerei werden Sphingen häufiger, ebenso wie in den übrigen Landschaften zu Beginn der orientalisierenden Periode.
Es ist klar, daß dieses Fabelwesen vom Orient übernommen wurde. Sphingen sind in verschiedenen orientalischen Kunstkreisen anzutreffen und finden sich auch auf den syrisch-phönizischen Schalen[152]. Die antithetische Anordnung zweier Sphingen war außerordentlich beliebt, und wir finden sie ebenfalls auf den syrisch-phönizischen Schalen und anderen Arbeiten[153].
Die menschlichen Arme sind anscheinend eine Zufügung des attischen Vasenmalers, in Analogie zum gleichzeitigen Kentaurenbild, um so den menschlichen Oberkörper zu verdeutlichen. Einen menschlichen Arm besitzt auch die Sphinx auf der frühprotoattischen Oinochoe München 1352 und vermutlich die Sphinx auf dem frühprotoattischen Oinochoenfragment Agora P 16993[154].

147 Strøm, ActaArch. 33 (1962) 248 ff. hält die Wesen auf der Schale Athen, Nat.Mus. 14441, Nr. 30, fälschlich für Flügelpferde.
148 Vgl. den Kesselgriff in Gestalt eines geflügelten Bockes mit Menschengesicht, der vermutlich aus einer nordsyrischen Werkstatt stammt und auf Samos gefunden wurde, Samos VIII (1972) 63 f. Taf. 60 (Samos B 150). Vgl. auch Luristan-Bronzen, Kübler, Ker.VI,2 98.
149 Vgl. Ker. 407, Ker. V,1 Taf. 69. Wie schon im Abschnitt über die Löwen erwähnt, müssen die Füße nicht immer als Pranken mit Krallen gebildet sein, s. die Schale Athen, Nat.Mus. 14475, Nr. 31.
150 Reichel, Griechisches Goldrelief (1942) 29 f. Verdelis, BCH. 75 (1951) 18 zu Abb. 11. Lullies, CVA. München 3 (1952) zu Inv. 1352 Taf. 134. Dessene, Le Sphinx (1957) 201 Taf. 37,2.
Für Kentauren halten sie: Buschor, AJA. 38 (1934) 129. Müller, RM. 38–39 (1923–24) 63 Anm. 1.
Links eine Sphinx, rechts einen Kentauren erkennen Brueckner und Pernice, AM. 18 (1893) 113 ff. Anscheinend

auch Cook, BSA. 35 (1934–35) 169 Anm. 1. Audiat, Mon Piot 36 (1938) 47.
151 Ohly, Griechische Goldbleche des 8. Jhs. v. Chr. (1953) A 17 Taf. 11,1.
152 London Brit.Mus. N.632, Layard Taf. 58E (Or. 19). London Brit.Mus. N.59, Layard Taf. 59B (Or. 22). London Brit.Mus. N.12, Layard Taf. 68 (Mitte oben) (Or. 38). London Brit.Mus. N.7 und N.8, Layard Taf. 68 (Mitte unten) (Or. 42 und 43). Aus der Idagrotte, MusItal. (1884–1888) Taf.VI,1 (Or. 76) und Taf.VI,2 (Or. 77).
153 London Brit.Mus. N.52, Layard Taf. 68 (rechts oben): Sphinx und Greif (Or. 37). Athen, Nat.Mus. 7037, von der Akropolis, JHS. 13 (1892–93) Abb. 19 (Or. 93). New York, Metr.Mus. Cesn.Coll. 4557, Gjerstad Taf. III (Or. 59). New York, Metr.Mus. Cesn.Coll. 4554, Gjerstad Taf.VII (Or. 64). Wangenplatte Samos B 257, Samos VIII (1972) Taf. 54. Elfenbeinbeispiele: Barnett C.62; S. 6.13.15.19.50.
154 München 1352: Lullies, CVA. 3 Taf. 134. Agora P 16993: Agora VIII Nr. 432 Taf. 26.

Athen, Nat.Mus. 13038, Nr. 53   Taf. 1 u. Abb. 10

Der Innenfries dieser Schale trägt verschiedene figürliche Darstellungen. Die Gruppe des schwerbewaffneten Kriegers, der links und rechts einen Hengst am Zügel hält, entstammt der griechischen Vorstellungswelt; er ist als ein Angehöriger des Pferde besitzenden Adels zu verstehen, wie
auch die Bronzefiguren der Pferdehalter auf Dreifußhenkeln[155]. Eine derartige symmetrisch kom-

Abb. 10. Athen, Nat.Mus. 13038, Nr. 53.

155 Scheibler, Die symmetrische Bildform in der frühgriechischen Flächenkunst (1960) 16 mit Anm. 22. Liste
der Pferdehaltergruppen bei Tölle 94. Dazu Kantharos
Laon 37769, CVA. Laon Taf. 2, 3–4. Das einfache Motiv
des Pferdehalters ist auf den Vasenbildern in Anlehnung
an andere wappenartige Gruppierungen verdoppelt. –
Eine andere Deutung erfuhr der Pferdehalter von verschiedenen Forschern, die eine Gottheit in ihm sehen.
Für den Sonnengott hält ihn Roes, Greek Geometric Art,
its Symbolism and its Origin (1933) 25 und BCH. 77 (1953)
95 Anm. 1, wie sie überall in der geometrischen Kunst
Sonnensymbole sieht (dazu die Rezension von Schweitzer, Gnomon 10, 1934, 337 ff.).
Für Poseidon Hippios: J. Charbonneaux, Préhistoire I

(1932) 225 ff. Yalouris, MusHelv. 7 (1950) 82. Schweitzer
55 f., 64 f.
Dagegen sprachen sich aus mit zahlreichen Argumenten:
Jucker, Bronzehenkel und Bronzehydria in Pesaro, Studia
Oliveriana 13–14 (1965–66) 35 ff. Courbin, La céramique
géométrique de l'Argolide (1966) 485 ff. Simon, Die Götter
der Griechen (1969) 83. – Kahane, AntK. 16 (1973) 128 ff.
schlägt eine agonale Deutung vor: als Preis in normalen
zivilen Leichenspielen oder als einen Hinweis auf die
Wettkampfart, zieht aber auch die mythologisch-symbo-
lische Deutung auf Poseidon in Erwägung. Wiesner
F 64 f. macht den Vorschlag, den Pferdehalter auf ein
konkretes An- oder Abschirren eines Gespannes oder auf
das Reiten mit Beipferd zu beziehen, läßt aber auch andere Deutungen offen.

ponierte Pferdehaltergruppe begegnet erstmals auf der Amphora Ker. 1306 aus der Phase SG Ia[156].
Eine ganz ähnliche Gruppe mit einem schwerbewaffneten Pferdehalter gibt es auf dem Kantharos Athen, Nat.Mus. 14447, der ebenfalls von der Hand des Birdseed-Malers stammt (s. 42).
Weiter links sind zwei Reiter hintereinander dargestellt. Der vordere hält mit beiden Händen die Zügel, der hintere gibt dem Pferd gerade mit dem Kentron einen leichten Schlag auf die Kruppe. Reiter sind in der spätgeometrischen Kunst auf einigen Beispielen bezeugt, gehören aber nicht zu den besonders häufigen Dastellungen[157]. Die Reiter auf der Schale gehören zu den frühesten Reiterdarstellungen in der Vasenmalerei.
Hinter den beiden Reitern steht, in die gleiche Richtung nach rechts blickend, ein einzelner Mann. Die eine Hand hat er auf das umgürtete Schwert gelegt, den anderen Arm hat er erhoben in der gleichen Geste wie die Männer auf der Oinochoe Hobart[158], die ebenfalls vom Birdseed-Maler stammt.
Innerhalb der Darstellungen des Innenfrieses dieser Schale, Nr. 53, besteht offenbar kein inhaltlicher Zusammenhang, sondern es handelt sich um drei verschiedene Themen: die beiden Reiter und der einzelne Mann hinter ihnen, der die Hand erhebt; die Gruppe des Pferdehalters; der Stier.

Malibu, J. Paul Getty Mus., Slg. H. Cohn 73. A.E. 26, Nr. 82
Im Innern schreiten abwechselnd hintereinander schwerbewaffnete Krieger mit Dipylonschild und Pferde, auf deren Kruppe ein im Verhältnis viel kleiner gezeichneter Mann steht, der mit der einen Hand die Zügel und mit der anderen das Kentron hält. Das Stehen auf dem Tier reicht hier nicht aus, um die Gestalt als Gottheit zu deuten[159], denn die Gestik ist hier ganz konkret auf die Tätigkeit eines Reiters wie bei Nr. 53 bezogen; in der ganzen Haltung zeigt die Figur starke Ähnlichkeit mit der in der Vasenmalerei geläufigeren Darstellung eines Wagenlenkers[160]. Während der Epiphaniegestus der Figur auf dem Dreifußbein Olympia Br 12823 und B 1665 zu einer Interpretation als Gottheit berechtigt[161], sind auf der Schale Nr. 82 wohl Reiter gemeint. Eine ähnlich ungeschickte Zeichnung eines Kriegers zu Pferd, der auf dem Pferderücken stehend wiedergegeben ist, gibt es auf der böotisch spätgeometrischen Halbmondfibel Berlin 8396[162]. Somit läßt sich der Inhalt des Bildstreifens der Schale Nr. 82 konkret auf einen Fries von abwechselnd Reitern und Kriegern zu Fuß beziehen.

156 Ker. V,1 Taf. 110 aus Gr. 50.
157 Tölle 95f. Wiesner, Fahren und Reiten, Arch.Hom. (1968) F 118ff. Abb. 20c–f und h, Taf. F IVa, Abb. 23b–c.
158 Hood, AJA. 71 (1967) 82ff. Taf. 31–32. Fittschen 57 Anm. 296 Abb. 14. Ahlberg, Prothesis and Ekphora (1971) 265. Die beste Erklärung scheint die von Hood a. O. 87 zu sein (vgl. auch Fittschen): die Ausfahrt von Kriegern zu Schiff, dahinter die Frauen, die in der Voraussicht, daß sie die Männer nicht mehr lebend wiedersehen, schon die Totenklage anstimmen. Dieser Brauch war noch in diesem Jahrhundert – wie Augenzeugen berichten (mündl. Prof. R. Hampe) – in einigen Dörfern Griechenlands üblich, wenn die Männer in den Krieg zogen.
Nicht zu halten ist die Erklärung von Tölle, Raggi 7 (1967) 15ff., daß hier ein Schiffbruch dargestellt sei, der zwar nicht »konkret gemalt« aber wegen der Klagegebärde der Frauen gemeint sei.
159 Als viermal wiederholte Darstellung eines Heros

oder eines Gottes, vielleicht Poseidon, deutet es Hood, in The J. Paul Getty Museum Journal I (1974) 99f.
160 Vgl. besonders die Wagenlenker auf der Schulter der Amphora Louvre CA 1823, Coldstream 66 IX.6, Taf. 12b–c, CVA Louvre 16 Taf. 27 und 52, die von derselben Hand stammen könnte (ähnlich die Bildung der Pferde mit breiter gewölbter Brust und starker Halsbiegung beim Kopf, die Stilisierung der Dipylonkrieger mit ausgemergeltem Leib, die gleichmäßige Verteilung der z.T. gleichen Füllornamente).
161 Willemsen, OlForsch. III (1957) 68f. Taf. 46. Schweitzer 189 Taf. 215. Herrmann, Olympia (1972) 75 Taf. 16a.
Vgl. auch die Bronzescheibe im Museum Tegea, Dugas, BCH. 45 (1921) 384 Abb. 45. Hampe 40 mit Anm. 4. Technau, JdI. 52 (1937) 89f. Abb. 9. Schweitzer 189 Abb. 105.
162 Die Fibel ist nicht mehr erhalten. Furtwängler, AA. 1894, 115f. Nr. 1 Abb. 1. Hampe 12 Abb. 1 Nr. 60. Schweitzer 226f. Abb. 124. Wiesner F 122 Abb. 123b.

Im ganzen Innenfries sind rundum Frauen in langen gewürfelten oder schraffierten Röcken und Männer dargestellt, die sich zum Teil an den Händen fassen und Reigentänze aufführen. Dreimal ist ein Mann dargestellt, der einen halbkreisförmigen Gegenstand in seiner vorgestreckten Hand hält. Bei dem massig gemalten Mann zunächst der Henkelachse ist man sich einig, daß es sich um ein Saiteninstrument handelt. Der Schallkörper ist ihm zugewandt, vorn sind zwei Saiten zu sehen. Bei den beiden anderen Männern gehen die Meinungen auseinander. Da sie den Gegenstand gerade andersherum halten und da sie Schwerter tragen, wurden sie als Krieger gedeutet, die einen Rundschild halten[163]. Dagegen läßt sich einwenden: 1. Die Rundschilde wären zu klein. 2. Man trägt den Rundschild nicht vor sich her, sondern dicht am Körper. 3. Der Schild ist nicht rund, sondern abgeschnitten. Die Seitenansicht eines Schildes kommt in der geometrischen Kunst zwar vor, sieht aber anders aus[164]. 4. Die beiden ersten Männer im Reigen haben ebenfalls Schwerter umgegürtet, genauso wie der massig gemalte, eindeutige Phorminxspieler, was bisher übersehen wurde[165]. Das Schwert der beiden fraglichen Figuren kann also nicht als Argument für bewaffnete Krieger mit Schild und gegen einen Phorminxspieler verwendet werden. Am wahrscheinlichsten ist daher die Deutung auf Phorminxspieler, die ein unklar gemaltes Saiteninstrument in der Hand halten[166].

Damit ergibt sich folgende Reihenfolge: Der Phorminxspieler, durch Rautenmotive von den anderen Figuren getrennt; ihm folgen vier Frauen einzeln, dann vier Frauen, die sich an den Händen fassen. Wieder ein Phorminxspieler, vier Männer, die beiden ersten mit Schwert, und drei Frauen, die sich alle an den Händen fassen. Schließlich der massig gemalte Phorminxspieler und zwei Frauen, sich an der Hand fassend.

Einen Hinweis auf die Deutung des Innenbildes können die Dreifußkessel[167] auf der Außenseite geben. Dreifüße wurden als Preise auch in musischen Wettkämpfen verliehen[168]. Die Interpretation auf drei miteinander wetteifernde Chöre, die von jeweils einem Phorminxspieler angeführt werden – ein Frauenchor, ein gemischter Chor, vom dritten Chor sind nur zwei Frauen wiedergegeben – besitzt somit viel Wahrscheinlichkeit[169].

163 Nierhaus, JdI. 53 (1938) 101 Abb. 6. Wegner U 63 Kat. Nr. 31.

164 Oinochoe Kopenhagen 1628, Schweitzer Taf. 59. Fragment aus Chios, BSA. 35 (1934–35) Taf. 35,33.

165 Deutlich ist der gebogene Schwertgriff vor der Taille, darüber erst der dünne Strich des Armes. Hinten verschwindet die Klinge in der großen Fläche des Gesäßes, ein kleines Stück ist bei den Gürtelenden der folgenden Frau zu sehen (ich konnte es leider nicht am Original überprüfen). Schweitzer 54 sah das Schwert anscheinend, denn er spricht von »zwei eine primitive Leier schlagenden Kriegern« und »einem einzelnen durch breite Füllmuster getrennten Leierspieler«.

166 So Karouzou, CVA. Athen 2 Taf. 10 und 11. Tölle 78. Schweitzer 54f.

167 Liste der Dreifußdarstellungen auf Vasen: Benton, BSA. 35 (1934–35) 101ff. Ein ähnlicher Dreifuß: Graef-Langlotz, Akropolisvasen I (1925) Taf. 10 Nr. 298, auch hier ist jedes Bein aus drei Strichen gebildet. Eine ähnliche Außendekoration zeigt der Kantharos Athen, Nat.Mus. Slg. Empedokles, Benton, a. O. Taf. 26,3. Dreifuß als Preis bei Leichenspielen: s. Anm. 94. Vgl.

Il.23, 259ff. Ahlberg, Prothesis and Ekphora (1971) 212. Als Preis bei Faustkämpfen: s. Anm. 94, dazu das argiv. Frgt., Argive Heraeum II Taf. LVII 11.

168 Hesiod, Erga 651ff., bei den Leichenspielen des Amphidamas wird ihm als Sieger in einem musischen Wettkampf ein Dreifuß verliehen.
Am zweiten Tag der athenischen Thargelien fand ein Wettstreit der Männer- und Knabenchöre statt. Die gewonnenen Dreifüße weihte man ins Heiligtum des Apollon Patroos, Deubner, Attische Feste 198 mit Anm. 2. Vgl. später die choregischen Dreifüße am Weg zum Dionysostheater.
Reigenwettstreit: Od. 8,256ff. Alkman fr. 1 (Page).

169 Zuerst Furtwängler, AZ. 1885, 138f. Karouzou CVA. Athen 2 Taf. 10 und 11. Tölle 78. Schweitzer 54f. Vgl. auch die Inschrift auf der SG Ib-Oinochoe Athen, Nat.Mus. 192 (zur Datierung Coldstream 32 I.36). Furtwängler, AM.6 (1881) 106ff. Taf. 3. Der erste Teil des Textes bis παίζει ist klar, danach ist die Lesung nicht gesichert. Studniczka, AM 18 (1893) 225ff. Taf. 10 liest:
ὃς νῦν ὀρχηστῶν πάντων ἀταλώτατα
παίζει το⟨ῦ⟩το δεκᾶν μιν

Die der griechischen Kultur eigenen Reigentänze sind uns in bildlichen Darstellungen seit der Phase SG I belegt, in der Dichtung werden sie bei Homer beschrieben. Sie wurden im Totenkult, bei Götterfesten und anderen festlichen Anlässen aufgeführt[170].

München 6029, Nr. 84   Taf. 17

Im ganzen Innenfries dieser Schale sind rundum Krieger mit Helm, Schild und zwei Lanzen gemalt, die sich nach rechts bewegen und sich an den erhobenen Händen fassen. Es handelt sich um die Wiedergabe eines Reigens von vollausgerüsteten Kriegern. Eine Rhythmisierung der Darstellung wird durch ein Abwechseln von je zwei rechteckigen und einem runden Schild erreicht und durch verschiedene Schildzeichen[171].

Das winzige Ker.Fragment 4367, Nr. 18, zeigt den Rest eines mit weichen Knien schreitenden Kriegers mit Dipylonschild und zwei Lanzen, hinter dem vielleicht – nach dem erhaltenen Restchen zu urteilen – ein weiterer Krieger kam. Möglicherweise gehörte es zu einer ähnlichen Darstellung wie der Reigen auf der Schale München 6029, Nr. 84.

Waffentänze sind in der späteren Literatur mehrfach belegt[172]. Für das 8. Jh. v. Chr. sind die bildlichen Darstellungen die wichtigsten Zeugnisse[173]. In einer der Szenen auf dem Kopenhagener Kantharos 727 springen einander gegenüber zwei Waffentänzer in einer Tanzfigur, jeder mit Schild und zwei Speeren[174]. Auf einem böotisch-geometrischen Krater in Basel BS 406[175] folgen dem Phorminxspieler vier Männer mit umgegürtetem Schwert. Die Arme haben sie in einer Tanzhaltung erhoben. Hier muß es sich nicht um einen ausgesprochenen Kriegertanz handeln, denn das Tragen von Dolchen auch sonst beim Tanz ist bei Homer, Il. 18, 598f. überliefert. Vielleicht ist auf dem Kriegerfries der Amphora Louvre CA 1823 mit den lanzenschwingenden Kriegern mit Helm, Schild und Schwert ein Waffentanz dargestellt[176].

Athen, Nat.Mus. 729, Nr. 23 und London, Brit. Mus. 1950.11–9.1, Nr. 79   Taf. 10–11

In den Innenfriesen der beiden Schalen wird gleichförmig zwölfmal die gleiche sitzende Figur wiederholt. Das Geschlecht der Personen ist nicht sicher bestimmbar. Bei einigen Figuren der

---

Wer von den Tänzern am zierlichsten tanzt, der soll dieses (Gefäß) empfangen.

Jeffery, Local Scripts of Archaic Greece (1961) 15f., 21, 29f., 68f., Taf. I.

Guarducci, Epigrafia Greca I (1967) 135f. liest:

hὸς νῦν ὀρχεστõν πάντõν ἀταλõτατα
παίζει τõτõ δὲ καλμιν

Derjenige, der von allen Tänzern am zierlichsten tanzt, dessen soll die καλμιν (oder καλμις) sein (καλμιν als Name des Gefäßes verstanden). Kahane, AntK 16 (1973) 127 Abb. 11.

170 Tölle bes. 77ff.

171 Einmal erscheinen hintereinander drei rechteckige Schilde, da die abwechselnde Folge bei dreizehn Kriegern nicht aufgegangen wäre. Der Napf Slg. Altheim, Berlin (Bielefeld, Studies Presented to David M. Robinson II, 1953, 43f. Taf. 10; Wegner U 65 Anm. 96) zeigt auf seinem inneren Rand einen Fries von Kriegern, die in Gruppen abwechselnd mit Rund- oder Dipylonschilden ausgerüstet sind. Das geschlossene Rund des Frieses könnte dazu verleiten, hier ebenfalls an eine Reigendarstellung zu denken, aber es fehlt die typische Gebärde des Reigens.

172 Die frühesten Belege bei Homer Il, VII 241 μέλπεσθαι Ἄρηι, und Il.XVI 617 dürften nicht nur eine Metapher sein, wie Wegner U 43 meint.
Pyrrhiche und andere Waffentänze: Eurip., Andromache 1135 (Pyrrhiche). Xenophon, Anabasis VI 1 (καρπεία der Thessalier; ἐνόπλιος ῥυθμός und Pyrrhiche). Platon, Nomoi VII 796b; VII 815; XII 942d (Pyrrhiche u. a.). Aeneas Tacticus I 17 (Festzug zum Heraion von Argos, an dem auch bewaffnete Jünglinge teilnahmen). Polybios IV 20,12. Strabo X 3,8 (Pyrrhiche). Dion.Hal. VII 72. Athenaios XIV 630d; XIV 631a; XI 628e; XIV 631e; 678c. Pollux, Onom. IV 99. Lukian, de salt. 8,9. Hesych unter Pyrrhiche.

173 Hahland, Corolla Curtius (1937) 127. Hinrichs, Totenkultbilder der att. Frühzeit, Annales Universitatis Saraviensis IV (1955) 134 Anm. 35. Tölle 77ff. Wegner U 64ff. Schweitzer 55. Kauffmann-Samaras, RA. 1972, 27ff.

174 CVA. Kopenhagen 2 Taf. 74.

175 Wegner Taf. U IIIb.

176 RA. 1972, 23ff. Abb. 1–3. CVA. Louvre 16 (1972) Taf. 27 und 52.

Athener Schale, Nr. 23 ist am Kopf eine Linie gemalt, die entweder als Angabe eines Helmbusches oder als eine Haarsträhne gedeutet werden kann[177]. Keine eindeutige Erklärung fanden bisher die Gegenstände, die sie in den vorgestreckten Händen halten[178]. Es scheint sich entweder um zwei Stäbchen zu handeln, die aneinander geschlagen werden, oder eher um eine zweizinkige Gabel, zwischen deren Zinken man mit einem kleinen Stab schlägt[179].

Hahland[180] deutete die Darstellung auf einen Vorgang bei Feiern am Heroon. Eine Verbindung mit dem Totenkult könnte die Herkunft der Athener Schale Nr. 23 vom Kerameikos nahelegen, ist aber nicht gesichert. Es kann auch ein besonderer Vorgang bei irgendeiner anderen festlichen Begehung gemeint sein. Der Gebrauch lärmender Schlaginstrumente im Kult ist im homerischen Hymnus an Apollon (III,162) und später im Hymnus an die Göttermutter (XIV,3) bezeugt. Eine endgültige Deutung der Darstellungen auf den beiden Schalen kann vorläufig nicht gegeben werden.

Athen, Nat.Mus. 14475, Nr. 31   Taf. 15

Zwischen den aufgerissenen Rachen der beiden Löwen ist ein winziger Mann dargestellt, der sich nach rechts mit dem Schwert und nach links mit der Lanze wehrt. Zusammen mit den vier Stieren läßt sich der Innenfries möglicherweise als ein Überfall von Löwen auf eine Rinderherde deuten, die der Hirt zu verteidigen sucht und dabei selbst den Löwen zum Opfer fällt. Derartige Überfälle von Löwen auf Rinderherden sind bei Homer öfters in Gleichnissen beschrieben[181].

Eine Auseinandersetzung mit Löwen war vielleicht auch auf Ker. 4370, Nr. 21, Taf. 24c und Abb. 1 (S. 7) dargestellt, wie der bewaffnete Krieger mit dem Speer in der vorgestreckten Hand vermuten läßt, der hinter einem Löwen abgebildet ist.

Athen, Nat.Mus. 784, Nr. 24   Taf. 20

Einen Teil des Innenfrieses nimmt die Darstellung eines Reigens von vier Frauen in langen Röcken ein, die zwischen ihren erhobenen Händen Zweige halten. Die vorderste trägt in der vorgestreckten Hand einen Kranz. Sie bewegen sich nach rechts auf eine Gestalt zu, die auf einem Thron mit Rückenlehne sitzt und die Füße auf einen Schemel aufgestellt hat. Sie hält ebenfalls einen Zweig in der Hand.

Die Darstellung eines Reigens vor einer thronenden Gestalt ist in der geometrischen Kunst völlig singulär. Schon Brueckner und Pernice[182] wiesen auf die Ähnlichkeit mit einer Szene auf einer auf Zypern gefundenen Bronzeschale des syrisch-phönizischen Stils hin. Seitdem wurde immer wieder von der Forschung eine Anlehnung der attischen Darstellung an derartige orientalische Szenen angenommen[183]. Es sind inzwischen mehrere Schalen des syrisch-phönizischen Stils bekannt geworden, die einen prozessionsartigen Zug zu einer sitzenden Gestalt am Speisetisch zeigen:

177 Diese Linie, möglicherweise die Angabe des Helmbusches findet sich bei einigen Figuren auf folgenden Gefäßen desselben Malers B der Rattle Group: Boston 03.777 und Athen, Nat.Mus. 18542, Coldstream 71 XIII.6 und 8.

178 Sicher falsch war die alte Erklärung als spinnende Frauen, s. Poulsen, Die Dipylongräber und die Dipylonvasen (1905) 115.

179 Als Stäbchen erkannt bei Collignon-Couve 85 Kat. Nr. 351. Wegner, in Opus Nobile. Festschr. Jantzen (1969) 178ff. Taf. 29,3–4 hält die Gegenstände auf der Schale Athen 729, Nr. 23, für zweizinkige Gabeln, die auf der Londoner Schale 1950. 11–9.1, Nr. 78, für zwei Stäbchen. Eine genaue Betrachtung der Originale ergab, daß sich die

fraglichen Gegenstände auf der Londoner Schale, Nr. 78, nicht grundsätzlich von denen der Athener, Nr. 23, unterscheiden. Es könnte sich in beiden Fällen um eine Art zweizinkiger Gabeln handeln.

180 Hahland, Festschr. Zucker (1954) 182.

181 Vgl. Il.XI, 548ff. XV 630ff. XVII 657ff. XVIII 573ff. Fittschen, Bildkunst N 14f. Taf. N IXb.

182 AM. 18 (1893) 114f.

183 Poulsen, Die Dipylongräber und die Dipylonvasen (1905) 114f. Möbius, AM. 41 (1916) 156f. Kunze 76 mit Anm. 6. Müller, MetrMusSt. 5 (1934–36) 160 Abb. 6. Gjerstad, SCE IV,2 (1948) 303. Lorimer, Homer and the Monuments (1950) 70,445. Schweitzer 55 Taf. 65. Fittschen 90

1. New York, Metr.Mus. 74.51.5700, aus Idalion, Or. 58
2. Teheran 15198, Or. 51, Abb. 11

Abb. 11. Teheran, Arch. Mus. 15198, vgl. S. 76, Or. 51.

3. Athen, Nat.Mus. 7941, aus Olympia, Or. 96, in zwei Feldern
4. Louvre AO 4702, Or. 100
5. Iraklion 32, Or. 83
6. Iraklion, Or. 78
7. New York, Metr.Mus. Cesn.Coll. 4557, Or. 59

Eine gleiche Szene gibt es auf Elfenbeinpyxiden aus Nimrud, am vollständigsten auf der Pyxis S 3[184]. Alle Szenen haben einen ähnlichen Aufbau. Zu der am Speisetisch thronenden Gestalt, die häufig eine Blüte in der Hand hält – was auf der attischen Schale dem Zweig entsprechen würde –, bewegen sich mehrere Gabenbringer; meist ist noch ein weiterer Tisch mit Gefäßen untergebracht. Auf einigen Schalen (s. o. 1.3.4) ist ein Frauenreigen dargestellt. Die Musikgruppe hinter dem Thron ist auf die thronende Gestalt orientiert und wahrscheinlich so zu lesen, daß sie sich ebenfalls von vorn der thronenden Gestalt nähern. Es gibt zwei Deutungsvorschläge für diese orientalische Szene: 1. eine kultische Zeremonie mit einer thronenden Göttin oder Priesterin oder 2. das Festmahl einer königlichen Person[185].

Äußerlich zeigt die Szene der Athener Schale 784, Nr. 24 gewisse Ähnlichkeiten mit den östlichen Darstellungen, aber es ist sicher ein inhaltlicher Unterschied. Ob man die Szenen auf den syrisch-phönizischen Schalen und Elfenbeinen als kultische Zeremonie oder als königliches Fest deutet, das Hauptthema der Darstellung ist das festliche Mahl einer thronenden Person, der andere Speisen und Getränke bringen. Dieses Thema fehlt ganz auf der attischen Schale, Nr. 24; es ist weder der Speisetisch noch der Tisch mit Gefäßen noch irgendein Speiseträger angegeben. Wenn man also an eine Anlehnung an die orientalischen Szenen denkt, so ist klar, daß es sich nicht um eine inhaltliche Übernahme handeln kann, denn gerade der Inhalt der orientalischen Szene, das Mahl, ist verändert. Es entstand die Frage, ob der Vasenmaler hier ein unverstandenes Sujet wiedergibt, das er von einem orientalischen Vorbild in Auszügen übernommen und in geometrische

mit Anm. 461. Lehnstädt, Prozessionsdarstellungen auf attischen Vasen (Diss. München 1970) 18 ff. de Vries, AJA. 76 (1972) 99 f. Carter, BSA. 67 (1972) 46.

184 Barnett S. 3.9.28.33a, b, c, d, q, r, s, v, w. Mallowan, Nimrud and its Remains I (1966) 218 Abb. 168. Vgl. die zyprische »Hubbard Amphora«, Dikaios, BSA. 37 (1936–37) 56 ff.

185 Für Göttin und kultische Zeremonie: Kunze 212 ff. (Opferzug). Gjerstad 4 ff. Barnett 78 ff. Canciani 145 ff. Für eine königliche Person: Mallowan, Nimrud and its Remains I (1966) 218 zu Abb. 168. Culican, Syria 47 (1970) 66 (Königin oder Göttin). Für die Deutung auf ein königliches Festmahl spricht die Bedeutung anderer gleichartiger Szenen im Orient, die mit größerer Sicherheit zu deuten sind. Es gibt um 700 v. Chr. auf den Orthostatenre-

liefs von Karatepe die Darstellung eines Festmahls des Königs (Frankfurt Taf. 165 A und B), die ganz entsprechende Szenen zeigt: den König am Speisetisch, einen weiteren Tisch mit Gefäßen, Diener mit Speisen und Krügen, eine Musikkapelle und unten die Zurüstung zum Fest mit dem Schlachten der Tiere. Vgl. auch das Mahl Assurbanipals (669–631/29 v. Chr.) im Garten (Parrot, Assur, 1961 Abb. 60). Eine Fortdauer dieses Inhalts zeigen einige der späteren zypro-phönizischen Metallschalen, die ganz eindeutig profane Gastmähler darstellen, s. Gjerstad Taf. III–V (Or. 59, Or. 61, Or. 62). Ähnliche Darstellungen gibt es bereits im 2. Jt. v. Chr. in stark ägyptisierendem Stil auf einem Elfenbein von Megiddo und auf dem Sarkophag des Ahiram von Byblos (Frankfurt Abb. 75 und 76).

Figuren übertragen hat[186], oder – wahrscheinlicher – ob er sich anregen ließ zu einer bestimmten Darstellung mit einem anderen, einem griechischen Inhalt[187].

Reigentänze wurden häufig bei Götterfesten aufgeführt und sind in der Literatur überliefert[188]. Bei Homer[189] wird die Prozession der Hekabe und der trojanischen Frauen zum sitzenden Kultbild der Athena von Ilion beschrieben. Für die frühe Zeit sind mehrere Sitzbilder weiblicher Gottheiten belegt[190]; auch in Athen auf der Akropolis gab es ein sitzendes Kultbild der Athena, von dem Terrakottanachahmungen archaischer Zeit erhalten sind[191]. Demnach ist in der Darstellung der attischen Schale, Nr. 24 mit großer Wahrscheinlichkeit ein Reigen vor einem sitzenden Götterbild zu sehen. Natürlich hatten derartige Kultbilder noch keine freien Arme, in denen sie Zweige halten konnten, wie auf dem Schalenbild, sondern der Vasenmaler hat der Deutlichkeit wegen das Kultbild in der Art einer menschlichen sitzenden Figur wiedergegeben. Der Kranz, den die erste Reigentänzerin hält, ist vermutlich die Gabe, die der Gottheit dargebracht wird[192].

Nach rechts folgen auf diese Szene zwei Krieger mit Schild und zwei Speeren in schreitender Bewegung. Dazwischen kniet auf einem kleinen Podium eine Gestalt, die in den erhobenen Händen links einen Zweig, rechts ein merkwürdig spitz zulaufendes, harfenähnliches Saiteninstrument hält. Für eine Gleichsetzung dieser knienden Gestalt mit den Musikanten hinter dem Thron auf den östlichen Metallschalen, wie sie Schweitzer vorschlägt[193], gibt es keine weiteren motivischen Übereinstimmungen. Merkwürdig ist das Knien auf einem Podium, das sich sonst bei geometrischen Phorminxspielern nie findet; wir kennen aber später auf zahlreichen Vasenbildern das Bema, das Kitharöden und Auloden zum Vortrag besteigen[194]. Die Anordnung zweier einzelner Krieger zu Seiten eines Auloden ist uns auf schwarz- und rotfigurigen Vasen als Darstellung der Pyrrhiche bekannt[195], so daß man auch hier die Wiedergabe eines Waffentanzes annehmen kann. Allerdings wird die Pyrrhiche nach den späteren Darstellungen immer von Flötenmusik begleitet, einmal tritt außer der Flötistin bei einer von einem Mädchen getanzten Pyrrhiche auch eine Kitharaspielerin auf[196]. Seltsam ist bei unserer Schale, daß der kniende Mann auf dem Bema sein Instrument nicht spielt, sondern hochhält wie den Zweig in der anderen Hand.

186 Müller, MetrMusSt. 5 (1934–36) 160 Abb. 6 zieht die Möglichkeit einer bloßen Kopie in Betracht, entscheidet sich dann aber für eine den Athenern vertraute Kultszene. Lorimer, Homer and the Monuments (1950) 445. de Vries, AJA. 76 (1972) 99 f. Carter, BSA. 67 (1972) 46.

187 Brinkmann, BJb. 130 (1925) 118 ff.: griechisches Götterfest mit Hinweis auf Alkman fr. 24 Diehl. Hahland, Festschr. Zucker (1954) 180 Anm. 10. Webster, BSA. 50 (1955) 48 mit Hinweis auf Il. VI 89 ff. 270 ff. 296 ff., wo die Prozession zum sitzenden Kultbild der Athena von Troja beschrieben wird. Für die Deutung von Tölle 79 auf eine Preisverleihung bei einem Reigenwettstreit scheinen keine ausreichenden Argumente vorhanden, zumal man sich fragen muß, ob ein derartiges Thema in der geometrischen Kunst darstellenswert war. Lehnstädt, Prozessionsdarstellungen auf attischen Vasen (Diss. München 1970) 18 ff.

Meist wurde in Analogie zur Deutung der orientalischen Szene (nicht gesichert!) eine griechische Kultszene mit thronender Göttin oder deren Kultbild gesehen, so besonders Müller, MetrMusSt. 5 (1934–36) 160. Schweitzer 55.

188 Tölle 80 ff.

189 Il. VI 89 ff. 270 ff. 296 ff.

190 Willemsen, Frühe griechische Kultbilder (Diss. München 1939) 36 ff.

191 Frickenhaus, AM. 33 (1908) 17 ff. Winter, Die Typen der figürlichen Terrakotten I (1903) 48 Abb. 2 u. a. Higgins, Greek Terracottas (1967) 72 Taf. 29.

192 Vgl. Alkman fr. 60 (Page) = 16 Bergk = 24 Diehl.

193 Schweitzer 55.

194 Wegner, Das Musikleben der Griechen (1949) Taf. 7a. Wegner, Musikgeschichte in Bildern Taf. 38.39.44. Vgl. auch das spätgeometrische Fragment von der Akropolis, Graef-Langlotz, Die Akropolisvasen I (1925) Nr. 303 Taf. 11.

Eine ganz andere, sehr weitgehende Deutung schlägt Webster, BSA. 50 (1955) 48 vor, wo er Od. 22, 330 f. heranzieht und annimmt, daß hier zwei Helden einen Sänger befreien, der Zuflucht auf einem Altar gesucht hat. Müller, RM. 38/39 (1923/24) 63 Anm. 1 sieht in dieser Gestalt ein vom Orient übernommenes Motiv, den Adoranten auf einem erhöhten Untersatz, vgl. Amathos-Schale (Or. 63).

195 Poursat, BCH. 92 (1968) 566 ff.

196 Att. rf. Hydria Florenz 4014, CVA. Florenz II Taf. 57,

Man darf wohl annehmen, daß der Waffentanz ebenfalls zur Darstellung des Götterfestes gehört. In Athen wurde bei den Panathenäen die Pyrrhiche aufgeführt[197]. Abgesehen von den beiden Sphingen sind auf dieser Schale Nr. 24 also zwei inhaltlich verbundene Szenen nebeneinandergestellt, ähnlich wie auf dem Kantharos Kopenhagen 727[198]. Wieviel der attische Vasenmaler auch von orientalischen Prozessionsdarstellungen übernommen haben mag, sicher ist, daß er nicht den orientalischen Inhalt übernahm, sondern sich zu einer eigenen Darstellung mit griechischem Inhalt anregen ließ.

4. Ornamente

Radiale Zungen

Die Schalen Athen, Nat.Mus. 15284, Nr. 47 Taf. 7 und aus Glyphada (?), Nr. 37, zeigen auf der Innenseite ein Muster aus radial angeordneten Zungen, die doppelt umrandet und im Inneren gegittert sind; die sphärischen Zwickel sind dunkel gemalt. Diese Dekoration ist sicher von Treibarbeiten in Metall angeregt, wie sie die orientalischen Zungenphialen zeigen[199]. Ein Tonpokal in Athen, Nat.Mus. 18020[200] trägt ein derartiges Zungenmuster auf der Außenseite, wobei die einzelnen Zungen in der Tonwandung plastisch herausgewölbt sind. Dieses Ornament ist in der attisch geometrischen Keramik häufig anzutreffen[201].

Konzentrische Ornamentbänder

Bei einigen Schalen ist die Innenseite gleichmäßig mit verschiedenen Ornamentbändern gefüllt, wie sie in der geometrischen Vasenmalerei sonst auf der Außenseite von Gefäßen üblich sind: Ker. 1283, Nr. 9; Trachones Tr 302, Nr. 50; Thera, Mus., Nr. 54. Eine Zone mit vertikalen gebrochenen Linien genau wie auf der Außenseite erscheint im Innern der Schale München 6401, Nr. 87.

Sterne aus gegitterten Dreieckszacken

Eine Anzahl Schalen besitzt meist als Hauptdekoration der Innenseite eine rundgeführte Zone mit stehenden gegitterten Dreiecken oder einem Wolfszahn aus gegitterten Dreiecken. Diese Zone ist ziemlich eng um den Mittelpunkt gelegt, so daß es wie ein Stern aus Dreieckszacken wirkt. Die übrige Wandung ist häufig nur mit konzentrischen Kreislinien verziert.
Auch mehrere syrisch-phönizische Metallschalen haben als Zentralmotiv einen Stern, dessen Zacken durch gleichschenklige Dreiecke um einen Mittelkreis gebildet werden[202]. Obwohl es sich

4 und 59 = Poursat, BCH. 92 (1968) 596 Nr. 47. Auch als Reigenbegleitung verdrängt der Aulos später immer mehr die Saiteninstrumente vgl. Tölle 72.
197 Poursat, BCH. 92 (1968) 566, 578f. Poursat, BCH. 91 (1967) 102ff. Mommsen, Die Feste der Stadt Athen (1898) 61ff.
198 Vgl. Tölle 78f. mit Anm. 190.
199 Luschey, Die Phiale (Diss. München 1939) 76ff. Abb. 22ff.

200 Schweitzer 30f. Taf. 17–18.
201 Vgl. Ker. V,1 62f., 168f. mit Anm. 147 Taf. 99.116. s. auch Anm. 50.
202 London Brit.Mus. N.45 (Or. 11), London Brit.Mus. N. 66 (Or. 14), London Brit.Mus. N.632 (Or. 19), London Brit.Mus. N.59 (Or. 22), London Brit.Mus. N.1 (Or. 23), London Brit.Mus. N. 15 (Or. 27), London Brit.Mus. N. 619 (Or. 44), Athen, Nat.Mus. 7941, aus Olympia (Or. 96).

auf den attischen Schalen um ein typisches Ornament des geometrischen Stils handelt – hängende oder stehende Dreiecke kennen wir von vielen geometrischen Gefäßen –, so könnte doch der Anstoß zur Anwendung dieses Ornaments als sternartiges Motiv in der Schalenmitte von den orientalischen Metallschalen mit zentralem Stern herrühren. Es handelt sich um folgende attische Schalen: Ker. 822, Nr. 7, Eleusis 709, Nr. 34, Taf. 32, Kallithea 1091, Nr. 38, Athen, Brit. School Mus. K. 3, Nr. 41, Taf. 30, Trachones Tr 284, Nr. 49, Trachones Tr 336, Nr. 51, Basel, Nr. 68, Taf. 28–29., im Außenfries drei Rinder, Hobart 8, Nr. 75, Taf. 31, Kiel B 86, Nr. 76, Luzern, Privatbesitz, Nr. 80, Taf. 26, München 6401, Nr. 87.

Konzentrische Kreise

Sehr häufig findet sich die Innendekoration mit konzentrischen Kreisbändern verschiedener Breite, wie sie in beschränktem Maße auch in anderen offenen Gefäßen anzutreffen ist.
Häufig kommt sie bei außen dunkel überzogenen Gefäßen vor: Ker. 348, Nr. 1, Ker. 353, Nr. 2, Ker. 787, Nr. 4, Ker. 798, Nr. 6, Ker. 2683, Nr. 11, Brauron B.K.3030, Nr. 32, Brauron B.K. 3135, Nr. 33, Eleusis 834, Nr. 35, Brauron, aus Merenta Gr. 1, Nr. 42, Brauron, aus Merenta Nr. 45, Trachones Tr 358, Nr. 52, Agora P 25290, Nr. 60, Agora P 20699, Nr. 61, Athen, Nat.Mus. 18486, Nr. 64, Athen, Nat.Mus. 18665, Nr. 66, Basel, Kunsthandel, Nr. 69.
Konzentrische Kreise als Innendekoration bei Schalen, die außen Ornamente tragen: Ker. 389, Nr. 3, Ker. 857, Nr. 8, Ker. 2860, Nr. 13, Kallithea 1092, Nr. 39, Athen, Brit. School Mus. K. 2, Nr. 40, Taf. 34, Brauron, aus Merenta 150, Nr. 44, Agora P 7464, Nr. 56, Agora P 12112, Nr. 58, Athen, Nat.Mus. 18488, Nr. 65, Dresden ZV 1476, Nr. 72, Taf. 33a, Luzern, Kunsthandel, Nr. 81, Oxford 1922.215, Nr. 89, Taf. 35.

Dunkel überzogene Innenseite

Einige wenige Schalen besitzen eine ganz oder teilweise dunkel überzogene Innenseite: Ker. 3786, Nr. 14, Ker. 4348, Nr. 15, Agora P 3645, Nr. 26, Athen, Nat.Mus. 14440, Nr. 29, Agora P 12110, Nr. 57, Oxford 1932.1157, Nr. 90, Taf. 33b.

Zentrale Kreismotive

In die Schalenmitte sind verschiedene kleinere Kreismotive gemalt, wobei sich innerhalb der großen Werkstätten Vorlieben für bestimmte Kreismotive beobachten lassen. Hier können nur die wichtigsten Motive mit den entsprechenden Beispielen aufgezählt werden.
Strichkreuz: Ker. 787, Nr. 4, Brauron, aus Merenta Gr. 1, Nr. 42, Brauron, aus Merenta 150, Nr. 44, Athen, Nat.Mus. 18488, Nr. 65, Athen, Nat.Mus. 18665, Nr. 66, Oxford 1922. 215, Nr. 89, Taf. 35.
Strichstern (er gehört zu den häufigsten Motiven und kommt auch öfters in der Werkstatt von Athen 894 vor, s. 44ff.): Athen, Nat.Mus. 343, Nr. 22, Athen, Nat.Mus. 729, Nr. 23, Taf. 10, Athen, Nat.Mus. 784, Nr. 24, Taf. 20, Agora P 3645, Nr. 26, Akr.Mus. 1959–NAK–27, Nr. 28, Athen, Nat.Mus. 14441, Nr. 30, Taf. 21, Athen, Brit. School Mus. K. 2, Nr. 40, Taf. 34, Brauron, aus Merenta Gr. 27, Nr. 43, Brauron, aus Merenta, Nr. 45, Thorikos TC 66.188, Nr. 48, Trachones Tr 302, Nr. 50, Trachones Tr 336, Nr. 51, Athen, Nat.Mus. 18486, Nr. 64, Edinburgh 1956.422, Nr. 73, Taf. 9, München 6029, Nr. 84, Taf. 17, München 8506, Nr. 88, Würzburg H. 5051, Nr. 94, Taf. 19, verschollene Schale Nr. 95, Taf. 25a.

»Malteserkreuz« (dieses Kreisornament ist beliebt in der Werkstatt von Athen 894, s. 47): Ker. 4369, Nr. 20, Taf. 24b, Agora P 5503, Nr. 27, Taf. 24a, Athen, Nat.Mus. 15283, Nr. 46, Taf. 18, Manchester III H 43, Nr. 83, Taf. 6.

Wagenrad (eines der häufigsten Zentralmotive in der Birdseed-Werkstatt und auch sonst sehr beliebt, s. 41): Ker. 798, Nr. 6, Piräusstraße Nr. 25, Athen, Nat.Mus. 14440, Nr. 29, Athen, Nat.Mus. 14475, Nr. 31, Taf. 15, Eleusis 834, Nr. 35, Athen, Brit. School Mus. K. 3, Nr. 41, Taf. 30, Athen, Nat.Mus. 15284, Nr. 47, Taf. 7, Trachones Tr 284, Nr. 49, Athen, Nat.Mus. 13038, Nr. 53, Taf. 1 und Abb. 10 S. 63, Athen, Nat.Mus. 18442, Nr. 63, Taf. 16, Athen, Brit. School Mus. A 343, Nr. 67, Bonn, V.I. 1632, Nr. 70, Taf. 3, Hobart 8, Nr. 75, Taf. 31, München 6220, Nr. 85, Taf. 2, München 6229, Nr. 86, Louvre CA 1633, Nr. 91.

Strichstern mit gewinkelten Armen: Ker. 857, Nr. 8, Brüssel A 2113, Nr. 71, Taf. 25b.

Vierblatt: Edinburgh 1956.423, Nr. 74, Taf. 4.

Blattrosette: Laon 37.772, Nr. 77.

Rundgeführte Kreistangentenkette, ringsherum ein Kreis mit radikalen Strichen (»sunburst«): Ker. 788, Nr. 5, Taf. 5, Eleusis 1682, Nr. 36, Taf. 36, Malibu, J. Paul Getty Mus., Slg. H. Cohn L73.A.E.26, Nr. 82.

Zusammenfassung

Die Innenseiten der Schalen tragen fast immer eine Bemalung, die häufig figürlich ist, sonst ornamental; ganz wenige Schalen sind innen dunkel überzogen. Im Vergleich mit der Dekoration der Schalenaußenseite kann man feststellen, daß die aufwendigeren und inhaltlich bedeutsameren Darstellungen innen angebracht sind. Wiedergaben von Menschen erscheinen überhaupt nur auf der Innenseite, ebenso Tierfriese bis auf eine Ausnahme, die Schale Ker. 1319, Nr. 10, Taf. 12–13, die außen und innen ähnliche Tierfriese zeigt.

Innerhalb der figürlichen Darstellungen lassen sich nach der Herkunft der Themen drei Gruppen unterscheiden.

1. Darstellungen, die zum griechisch geometrischen Bilderschatz gehören und bereits eine griechische Tradition haben: Vögel, Pferde, Hunde, Reigen von Männern und Frauen.

2. Darstellungen, die schon vorher in der geometrischen Vasenmalerei belegt sind, aber wahrscheinlich eine orientalische Herkunft haben: Rehe, Ziegen.

3. Darstellungen, die vorher nicht in der geometrischen Malerei bekannt sind und besonders häufig – nach unserer Kenntnis z. T. sogar erstmals – auf den Schalen auftreten. Diese Darstellungen kommen wahrscheinlich ebenfalls aus dem Orient: Stiere, Löwen, »Panther«, geflügelte Ziegenböcke, die Anregung zur Darstellung auf der Schale Athen, Nat.Mus. 784, Nr. 24, Taf. 20.

III. DIE DEKORATIONSWEISE DER SCHALEN IM VERGLEICH ZU ANDEREN GEFÄSSEN

Die aufwendige Bemalung der Schaleninnenseiten mit Figuren und reichen Ornamenten ist ein einmaliges Phänomen in der geometrischen Keramik. Sonst sind in der griechischen Keramik der geometrischen Zeit offene Gefäße wie Kratere, Kantharoi, Skyphoi, Tassen, Schüsseln, Teller und manchmal die Innenböden der Pyxiden dunkel überzogen, wobei manchmal in der Mitte ein kleiner runder Fleck ausgespart blieb. In seltenen Fällen findet sich im Zentrum ein einfaches Kreisornament, z. B. ein Strichkreuz, oder das gleiche Ornament wie auf der Außenseite des Bodens in derselben oder in vereinfachter Form[203]. Eine derartige Verzierung der Innenseite offener Gefäße tritt jedoch nur in wenigen Fällen auf und ist nicht das Übliche, während es für die Schalen ein charakteristisches Merkmal der Gattung ist.

Eine Ausnahme bilden rhodische und samische Teller der geometrischen Zeit, die auf der Ober- und Unterseite üblicherweise mit dem gleichen oder einem ähnlichen Rosettenmuster bemalt sind[204].

Im Attischen kennen wir außer auf den Schalen eine Innenbemalung nur auf einigen spätgeometrischen Fußtellerchen[205]. Da sie wahrscheinlich späte Erzeugnisse der Werkstatt von Athen 894 sind, die auch Schalen herstellte, liegt die Vermutung nahe, daß sie von der Dekoration der Schalen beeinflußt sind.

Für die übrigen offenen Gefäße muß man feststellen, daß eine Innenbemalung nicht üblich ist, sondern allenfalls ein dunkler Überzug und manchmal sparsame Ornamente. Auch von den genannten rhodischen und samischen Beispielen unterscheidet sich das Dekorationssystem der Schalen beträchtlich. Dort füllt ein großes Kreisornament das ganze Tellerrund[206], während auf den Schalen eine Einteilung in mehrere konzentrische Zonen anzutreffen ist. Bei den reich verzierten Schalen ist eine besonders hohe Zone zu unterscheiden, welche die figürlichen Darstellungen trägt. In manchen Fällen sind ganze Szenen dargestellt, wie wir sie sonst nur in den Bildstreifen um Hals oder Bauch der großen Amphoren und Kannen kennen, die aber sonst nicht auf kleineren Gefäßen wie beispielsweise Skyphoi auftreten.

Die Bemalung der Innenseiten ist innerhalb der attisch geometrischen Keramik nur dieser Schalengattung eigen und sowohl in der Auswahl der Themen mit figürlichen Szenen sowie in der Anordnung der Bemalung in konzentrischen Zonen in der geometrischen Keramik überhaupt einzigartig.

203 Einige Beispiele für Skyphoi: Ker. 394–396, Ker. V,1 Taf. 95 und 96. Schüsseln: Agora VIII Nr. 91; CVA. München 3 Taf. 122,10 und 128,5. Teller: Athen, Nat.Mus. Slg. Empedokles. Pyxis: Hesp.Suppl. II (1939) Gr. XVII, 7.
204 Exochi Z 1, ActaArch. 28 (1958) 68 Abb. 137. Samos V Nr. 54–57, 105–106, 184–186.
205 Agora P 5282, Agora VIII Nr. 337 Taf. 19. Ker. 1168, Tölle, AA. 1963, 657 ff. Nr. 18 Abb. 15. Diese beiden Fußtellerchen und die Schale Louvre CA 1781, Nr. 88, zeigen

die frühesten griechischen Darstellungen in der Form eines Tondo. Ker. 2861. Ker. 4341.
206 Ähnlich ist auch die Anlage der Dekoration von Pyxidenböden, die oftmals reich bemalt sind. Das Hauptmotiv ist eine große spitzblättrige Rosette, um die am Rand einige schmalere konzentrische Ornamentbänder gelegt sind. Beispiel: Ker. 332 und 333, Ker. V,1 Taf. 62. Würzburg L. 54, Langlotz, Griechische Vasen in Würzburg (1932) Nr. 54. Heidelberg G 53, CVA 3 Taf. 105,4.

Die orientalischen Vorbilder der Schalen

In ihrer Dekorationsweise wie in den Themen der Bemalung nehmen die attischen Schalen eine besondere Stellung innerhalb der geometrischen Keramik ein. Als besonders ungewöhnlicher Zug wurde die reiche figürliche Bemalung der Innenseiten herausgestellt, die in der geometrischen Keramik nicht üblich ist. In ihrer Anordnung in konzentrischen figürlichen Zonen ist sie überhaupt einmalig im Geometrischen. Bei einem so einzigartigen Auftreten einer Innenbemalung an nur einer ganz bestimmten Gattung fragt man sich, ob hier nicht eine fremde Anregung wirksam war.

Tatsächlich gibt es im Orient die in der Dekorationsweise ganz ähnliche Gattung der syrisch-phönizischen Metallschalen, die von der Forschung schon früh als wahrscheinliche Vorbilder für die attischen Schalen herangezogen wurden. Diese orientalischen Metallschalen zeigen eine ähnliche Aufteilung in mehrere konzentrische Zonen, die in reicher figürlicher und ornamentaler Verzierung getrieben und graviert sind.

Auch für einige Motive der Bemalung der attischen Schalen, besonders bei Tierdarstellungen, wurden wiederholt orientalische Darstellungen genannt, von denen sie wahrscheinlich übernommen und im geometrischen Stil umgeformt wurden. Diese Motive und Themen stammen ursprünglich aus verschiedenen Kunstkreisen des Orients, erscheinen aber vereinigt in dem eigenartigen Mischstil der syrisch-phönizischen Metallschalen, auf denen Motive ganz verschiedener Provenienz nebeneinander auftreten.

I. ORIENTALISCHE METALLSCHALEN

Die ägyptischen Vorbilder des 2. und 1. Jts. v. Chr.

Or. 1 Paris, Louvre. Gold. Geschenk Thutmosis III. (1490–1436 v. Chr.) an seinen General Thot. Vernier, La bijouterie et joaillerie égyptienne (1907) Taf. XX. Schäfer–Andrae, Die Kunst des Alten Orients (1907) 396,1.

Or. 2 Paris, Louvre. Fragment einer Silberschale. Ebenfalls dem General Thot gehörend. Vandier, Le département des antiquités égyptiennes (1973) 92.

Or. 3 Kairo, Mus. Cat. gén. 3553. Aus Theben. Felsengrab unter Grab Nr. 65, im Sarg der Herrin des Hauses Sat-Amun gefunden. Zeit Amenophis III. (1402–1364 v. Chr.) oder die ersten Jahre Amenophis IV. (1364–1347 v. Chr.). Bronze. v. Bissing, Catalogue générale, Die Metallgefäße (1901) 60 ff.

Or. 4 Aus dem Schatz von Tell Basta. Silber mit Gold. 19. Dyn. (2. Hälfte des 13. Jhs. v. Chr.), Musée Egyptien II (1890–1900) Taf. 48. v. Bissing, JdI. 25 (1910) 197 Abb. 2.

Or. 5 Berlin, Mus. 14117. Aus Zypern. Silber. Schäfer, Ägyptische Goldschmiedearbeiten (Berlin 1910) Nr. 97 Taf. 15. Gjerstad Taf. XVI.

74

Or. 6 Aus Meroë, Gr. S 155. Bronze. Ende 8./Anf. 7. Jh. v. Chr. Dunham, The Royal Cemeteries of Kush V (1963) 360 Abb. 191.

Fayence-Nachahmungen:
Aus El Kurru, Gr. 55, 19-3-666. Zeit des Pharao Pianchi (751–716 v. Chr.). Dunham, The Royal Cemeteries of Kush I (1950) 93 Abb. 31e Taf. 64A.
Aus El Kurru, Gr. 55, 19-3-667. Zeit des Pharao Pianchi (751–716 v. Chr.). Dunham, The Royal Cemeteries of Kush I (1950) 93 Taf. 64B.

Die syrisch-kanaanäischen Metallschalen des 2. Jts. v. Chr.

Or. 7 Aus Ras Shamra. Gold. 1. Hälfte des 14. Jhs. v. Chr. Frankfort Abb. 68.
Or. 8 Paris, Louvre AO 17208. Aus Ras Shamra. Gold. 1. Hälfte des 14. Jhs. v. Chr. Frankfort Taf. 145.

Die syrisch-phönizischen Metallschalen des 1. Jts. v. Chr.

Aus dem syrisch-phönizischen Gebiet
Or. 9 Aus Megiddo M 791. Schicht IV, 1000–800 v. Chr. Lamon–Shipton, Megiddo I (1939) Taf. 115,2.

Bronzeschalen aus Nimrud, aus Raum AB des NW-Palastes (N)
Or. 10 London Brit.Mus. N.26. Layard Taf. 57 A.
Or. 11 London Brit.Mus. N.45. Layard Taf. 57 B.
Or. 12 London Brit.Mus. N.23. Layard Taf. 57 C.
Or. 13 London Brit.Mus. N.41. Layard Taf. 57 D.
Or. 14 London Brit.Mus. N.66. Layard Taf. 57 E.
Or. 15 London Brit.Mus. N.18. Layard Taf. 58 A.
Or. 16 London Brit.Mus. Layard Taf. 58 B.
Or. 17 London Brit.Mus. N.50. Layard Taf. 58 C. Barnett, Eretz Israel 8 (1967) Taf. VI,1.
Or. 18 London Brit.Mus. N.53. Layard Taf. 58 D.
Or. 19 London Brit.Mus. N.632. Layard Taf. 58 E.
Or. 20 London Brit.Mus. N.58. Layard Taf. 58 F.
Or. 21 London Brit.Mus. N.67. Layard Taf. 59 A.
Or. 22 London Brit.Mus. N.59. Layard Taf. 59 B.
Or. 23 London Brit.Mus. N.1. Layard Taf. 59 C. Lloyd, Die Kunst des Alten Orients (1961) Abb. 175.
Or. 24 London Brit.Mus. N.54. Layard Taf. 59 D.
Or. 25 London Brit.Mus. N.3. Layard Taf. 59 E.
Or. 26 London Brit.Mus. N.29. Layard Taf. 60. Canciani Taf. XI.
Or. 27 London Brit.Mus. N.15. Layard Taf. 61 A. Moscati, Die Phönizier (1966) Abb. XVIII.
Or. 28 London Brit.Mus. N.65. Layard Taf. 61 B. Frankfort Taf. 173 A.
Or. 29 London Brit.Mus. N.49. Layard Taf. 62 A. Perrot-Chipiez III Abb. 398.

Or. 30 London Brit.Mus. N.19. Layard Taf. 62 B. Barnett, Eretz Israel 8 (1967) Taf. V. Canciani
Taf. X.

Or. 31 London Brit.Mus. N.9. Layard Taf. 63. Frankfort Taf. 171. Barnett, Eretz Israel 8 (1967)
Taf. II.

Or. 32 London Brit.Mus. N.17. Layard Taf. 64.

Or. 33 London Brit.Mus. N.27. Layard Taf. 65.

Or. 34 London Brit.Mus. N.6. Layard Taf. 66.

Or. 35 London Brit.Mus. N.10. Layard Taf. 67.

Or. 36 London Brit.Mus. N.56. Layard Taf. 68 (links oben).

Or. 37 London Brit.Mus. N.52. Layard Taf. 68 (rechts oben).

Or. 38 London Brit.Mus. N.12. Layard Taf. 68 (Mitte oben).

Or. 39 London Brit.Mus. N.626. Layard Taf. 68 (unten links).

Or. 40 London Brit.Mus. N.51. Layard Taf. 68 (unten rechts).

Or. 41 London Brit.Mus. N.16. Layard Taf. 68 (unten Mitte).

Or. 42 London Brit.Mus. N.7. Layard Taf. 68 (Mitte unten und unten rechts). Abb. 9a (S. 59)

Or. 43 London Brit.Mus. N.8. Layard Taf. 68 (Mitte oben und unten links). Frankfort Taf. 172B
und 173B. Abb. 9b (S. 59)

Or. 44 London Brit.Mus. N.619. CIS.II,1 Nr. 46 Taf. VIII. Perrot-Chipiez II Abb. 405, Barnett,
Eretz Israel 8 (1967) Taf. IV,2. Naveh 12 Nr. 6.

Or. 45 London Brit.Mus. N.14. CIS.II,1 Nr. 48 Taf. VIII. Barnett, Eretz Israel 8 (1967) 1* ff. Naveh 12
Nr. 6.

Or. 46 London Brit.Mus. N.633. Barnett, Eretz Israel 8 (1967) Taf. VII,1.

Or. 47 London Brit.Mus. N.89. Barnett, Eretz Israel 8 (1967) Taf. VII,2.

Or. 48 London Brit.Mus. N.85. Barnett, Eretz Israel 8 (1967) Taf. VII,3. Naveh 12 Nr. 6.

Or. 49 London Brit.Mus. N.5. Barnett, Eretz Israel 8 (1967) 1* ff.

Or. 50 London Brit.Mus. N.75. Moscati, Die Phönizier (1966) Abb. 27. Barnett, Eretz Israel 8 (1967)
Taf. III.

Or. 50bis London, Brit.Mus. 91420. BrMQu. 32 (1967–68) Taf. 57–59a. Barnett, Riv. di Studi Fenici
II (1972) Abb. 2 und Taf. II.

Aus Luristan (?)

Or. 51 Teheran, Arch.Mus. 15198. Bronze. Culican, Syria 47 (1970) 65 ff. Taf. VII und Abb. 1. Hier
Abb. 11.

Or. 52 Teheran, Arch.Mus. 15192. Bronze. Culican, Syria 47 (1970) 71 ff. Taf. VIII.

Or. 53 Aus Luristan. Bronze. Dupont-Sommer, Iranica Antiqua 4 (1964) 111 ff. Taf. 35.

Or. 54 Aus Luristan. Bronze. Dupont-Sommer, Iranica Antiqua 4 (1964) 115 ff.

Or. 55 Teheran, Kunsthandel. Bronze. Culican, Syria 47 (1970) 74 f. Abb. 5.

Aus Zypern

Or. 56 Paris, Bibl.Nat., Cab. des Méd. 2291. Fragmente A–F einer Bronzeschale. Keine Verzierung erhalten. Donner-Röllig, KAI² Nr. 31.

Or. 57 Paris, Bibl.Nat., Cab. des Méd. 2291. Fragmente G und H einer Bronzeschale. Keine Verzierung erhalten. Donner-Röllig, KAI² Nr. 31.

Or. 58 New York, Metr.Mus. 74.51.5700. Aus einem Grab bei Idalion. Bronze. Gjerstad Taf. I.

Or. 59 New York, Metr.Mus. Cesnola Coll. 4557. Silber. Gjerstad Taf. III.

Or. 60 Privatbesitz. Man XLV (1945) 130 f. Abb. 1. Gjerstad 8.

Or. 61 New York, Metr.Mus. Cesnola Coll. 4555. Silber. Gjerstad Taf. IV.

Or. 62 London, Brit.Mus. 1892.5-19.1. Aus Salamis. Bronze. Gjerstad Taf. V.

Or. 63 London, Brit.Mus. 123053. Aus einem Kammergrab bei Amathos. Silber. Myres, JHS.53 (1933) 25 ff. Taf. I–III. Gjerstad Taf. VI.

Or. 64 New York, Metr.Mus. Cesnola Coll. 4554. Von Kourion. Silber. Gjerstad Taf. VII.

Or. 65 New York, Metr.Mus. Cesnola Coll. 4556. Silber. Gjerstad Taf. VIII.

Or. 66 Louvre AO 20134. Aus dem Temenos der Anat-Athena in Idalion. Silber mit vergoldeten Bildzonen. Gjerstad Taf. IX.

Or. 67 New York, Metr.Mus. Cesnola Coll. 4558. Fragment einer Silberschale. Myres, Handbook of the Cesnola Collection (1914) Nr. 4558.

Or. 68 New York, Metr.Mus. Cesnola Coll. 4559. Fragment einer Silberschale. Myres, Handbook of the Cesnola Collection (1914) Nr. 4559.

Or. 69 Louvre AO 20135. Aus dem Temenos der Anat-Athena in Idalion. Silber, vergoldet. Gjerstad Taf. X.

Or. 70 New York, Metr.Mus. Cesnola Coll. 4553. Gold und Silber. Gjerstad Taf. XI.

Or. 71 New York, Metr.Mus. Cesnola Coll. 4551. Gold. Gjerstad Taf. XII.

Or. 72 New York, Metr.Mus. Cesnola Coll. 4560. Bronze. Gjerstad Taf. XIII.

Or. 73 Aus Salamis, Kammergrab 2. Silber. Grab: 7. Jh. v. Chr. Karageorghis, Salamis I (1967) Nr. 71 Taf. CXII f.

Or. 74 New York, Metr.Mus. Cesnola Coll. 4552. Silber. Gjerstad Taf. XIV.

graeco-zyprisch

Or. 75 Nikosia, Mus. Aus Tamassos. Silber. Gjerstad Taf. XV.

Aus Kreta

Or. 76 Aus der Idagrotte. Bronze. Museo Italiano (1884–1888) Atlas Taf. VI,1. Milani, Studi e Materiali I (1899) Abb. 28.

Or. 77 Aus der Idagrotte. Bronze. Museo Italiano (1884–1888) Atlas Taf. VI,2. Milani, Studi e Materiali I (1899) Abb. 29.

Or. 78 Aus der Idagrotte. Bronze. Museo Italiano (1884–1888) Atlas Taf. IX,3. Winter, Kunstgeschichte in Bildern I,4 Taf. 107,3.

Or. 79 Aus Afrati, Tholosgrab M. Bronze. Grab: 1. Hälfte des 7. Jhs. v. Chr. Levi, ASAtene 10–12 (1927–29) 304 ff. Abb. 408 und Taf. XX.

Or. 80 Aus Fortetsa, Tholosgrab P. Bronze. Grab mehrmals benutzt vom Ende des 9. Jhs. bis ins 3. Viertel des 7. Jhs. v. Chr. Brock, Fortetsa (1957) Nr. 1559 Taf. 114.

Or. 81 Athen, Nat.Mus. Fragment. Bronze. Kunze 37 Nr. 1 Taf. 51c.

Or. 82 Iraklion, Mus. Fragment. Bronze. Kunze 37 Nr. 2.

Or. 83 Iraklion 32. Aus der Idagrotte. Bronze. Kunze Nr. 70 Taf. 48. Canciani Taf. VIII und IX.

Or. 84 Iraklion, Mus. Aus der Idagrotte. Bronze. Kunze Nr. 71 Taf. 48. Canciani Taf. VIII.

Kretisch-orientalische Schalen

Or. 85 Iraklion, Mus. 24. Aus der Idagrotte. Bronze. Kunze Nr. 69 Taf. 47.

Or. 86 Athen, Nat.Mus. Fragment. Bronze. Kunze Nr. 71bis Taf. 44. Canciani Nr. 71bis.

Or. 87 Athen, Nat.Mus. 11762 δ. Aus der Idagrotte. Bronze. Kunze Nr. 72 Taf. 47.

Or. 88 Iraklion, Mus. 36. Aus der Idagrotte. Bronze. Kunze Nr. 73 Taf. 48.

Or. 89 Aus Afrati, Tholosgrab L. Bronze. Grab: mittleres 7. Jh. v. Chr. Levi, ASAtene 10–12 (1927–1929) 376 ff. Abb. 491a und b.

Aus Rheneia

Or. 90 Mykonos, Mus. Bronze. Kunze 159 Anm. 35.

Or. 91 Mykonos, Mus. Bronze. Kunze 159 Anm. 35.

Aus Griechenland

Or. 92 Athen, Ker. M 5, aus Gr. 42. Bronze. Grab: 2. Hälfte des 9. Jhs. v. Chr. Ker. V,1 Taf. 162. Herrmann, Jdl. 81 (1966) 131f. Abb. 46. Hier Abb. 7 (S. 56)

Or. 93 Athen, Nat.Mus. 7037. Von der Akropolis. Bronze. Bather, JHS. 13 (1892–93) Abb. 19.

Or. 94 Delphi, Mus. 4463. Aus der Marmaria. Bronze. Fouilles de Delphes V (1908) Taf. XVIII–XX.

Or. 95 Von Perachora. Bronze. Perachora I Taf. 133.

Or. 96 Athen, Nat.Mus. 7941. Aus Olympia. Ol. IV (1890) Taf. 52. Barnett, Eretz Israel 9 (1969) Taf. III,4. Naveh 13 Nr. 9.

Or. 97 Olympia Br 8555. Bronze. Ol. IV (1890) Taf. 52 Nr. 884. Hier Taf. 28a und Abb. 8 (s. 58)

Or. 98 Olympia B 6049. Bronze. Kunze, Delt. 19 (1964) 167f. Taf. 172a.

Or. 98bis Olympia B 7646.

Or. 99 Oxford G 401. Aus Olympia. Bronze. Kunze Beil. 4c. Hier Taf. 23.

Or. 100 Louvre AO 4702. Wahrscheinlich aus Sparta. Bronze. Gjerstad Taf. II. Canciani Taf. VI–VII.

graeco-phönizisch

Or. 101 Cambridge, Fitzwilliam Mus. GR 8.1968. Bronze. Nicholls, Archaeol.Rep. (1970–71) 74f.

Aus Italien

Or. 102 Sibari, Antiquarium della Sibaritide. Aus einem Grab in Macchiabate bei Francavilla Mma. Bronze. Grab: 1. Hälfte des 8. Jhs. v. Chr. Zancani Montuoro, AttiMGrecia 1970–71 Taf. VIII. Hier Abb. 6 (S. 54)

Or. 103 Paris, Petit Palais. Von Salerno, vermutlich aus der Nekropole von Pontecagnano. Silber. Fröhner, Coll.Tyskiewicz (1892) Taf. II. Giglioli, L'arte Etrusca (1935) Taf. 19,3. Vaccaro, StEtr. 31 (1963) 241ff. Abb. 1.

Or. 104 Rom, Museo Greg. Etrusc. Aus der Tomba Regolini-Galassi, Cerveteri, geschlossen nach der Mitte des 7. Jhs. v. Chr. Silber, vergoldet. Mus. Greg. I (1842) Taf. 63 und 64. Helbig I^4 Nr. 644.

Or. 105 Rom, Museo Greg. Etrusc. Aus der Tomba Regolini-Galassi, Cerveteri, geschlossen nach der Mitte des 7. Jhs. v. Chr. Silber, vergoldet. Mus. Greg. I (1842) Taf. 65,1. Helbig I^4 Nr. 643.

Or. 106 Rom, Museo Greg. Etrusc. Aus der Tomba Regolini-Galassi, Cerveteri, geschlossen nach der Mitte des 7. Jhs. v. Chr. Silber, vergoldet. Mus. Greg. I (1842) Taf. 65,2. Poulsen Nr. 19 Abb. 18. Helbig I^4 Nr. 642.

Or. 107 Rom, Museo Greg. Etrusc. Aus der Tomba Regolini-Galassi, Cerveteri, geschlossen nach der Mitte des 7. Jhs. v. Chr. Silber, vergoldet. Mus. Greg. I (1842) Taf. 66. Helbig I^4 Nr. 641.

Or. 108 Leiden B 1943/9.1 (ehem. Slg. Reber, Lugano). Vermutlich aus der T. Barberini, Palestrina. Silber. Fast identisch mit Or. 109. Mühlestein, Die Kunst der Etrusker (1929) Abb. 6. van Wijngaarden, OudhMeded. 25 (1944) 1ff. Taf. I und Abb. 1. Artefact, 150 Jaar Rijksmuseum van Oudheden (1968) Taf. 23.

Or. 109 Rom, Villa Giulia 13245. Aus der Tomba Barberini, Palestrina, geschlossen im 3. Viertel des 7. Jhs. v. Chr. Silber, vergoldet. Curtis, MemAmAc. 5 (1925) Nr. 20 Taf. 7. Helbig III⁴ Nr. 2887.

Or. 110 Rom, Villa Giulia. Aus der Tomba Bernardini, Palestrina, geschlossen im 3. Viertel des 7. Jhs. v. Chr. Silber, vergoldet. Curtis, MemAmAc. 3 (1919) Nr. 24 Taf. 19. Helbig III⁴ Nr. 2926.

Or. 111 Rom, Villa Giulia. Aus der Tomba Bernardini, Palestrina, geschlossen im 3. Viertel des 7. Jhs. v. Chr. Silber, vergoldet. Curtis, MemAmAc. 3 (1919) Nr. 25 Taf. 20 und 21. Helbig III⁴ Nr. 2918.

Or. 112 Rom, Villa Giulia. Aus der Tomba Bernardini, Palestrina, geschlossen im 3. Viertel des 7. Jhs. v. Chr. Silber. Curtis, MemAmAc. 3 (1919) Nr. 26 Taf. 22 und 23. Helbig III⁴ Nr. 2909. Donner-Röllig, KAI² 3, 66.

Or. 113 Cleveland Mus. of Art, Slg. J. H. Wade. Aus Italien. Silber. Culican. The First Merchant Ventures (1966) Abb. 127. Barnett, Riv. di Studi Fenici II (1972) Gruppe V.

1. Die Fundorte der orientalischen Schalen

Die bisher bekannten Schalen des 2. Jts. v. Chr. kommen aus Ägypten und aus Ras Shamra. Die ältesten Schalen stammen aus Ägypten aus dem 15. Jh. v. Chr. Sie tragen lange hieroglyphische Inschriften, die gleichzeitig mit der Dekoration der Schalen entworfen wurden, und sie sind in rein ägyptischem Stil gearbeitet und daher auch ägyptischen Ursprunges. Die Schalen aus Ras Shamra zeigen einen Mischstil aus ägyptischen, kretischen und mesopotamischen Elementen. Sicher liegen in beiden Exemplaren aus Ras Shamra syrische Erzeugnisse vor, wie Vergleiche mit in diesem Gebiet gefundenen Steinreliefs zeigen[207]. Der Mischcharakter des Stils ist eine ähnliche Erscheinung wie später der auf den syrisch-phönizischen Schalen begegnende Mischstil. Da einzig die Schalen aus Ägypten einen rein ägyptischen Stil zeigen, wie er in ihrem Fundgebiet zu Hause ist, darf man es als wahrscheinlich ansehen, daß die ganze Gattung der Schalen überhaupt in Ägypten ihren Ursprung hat und von dort wie vieles andere in der 2. Hälfte des 2. Jts. v. Chr. ins syrisch-kanaanäische Gebiet übernommen wurde.

Die Schalen des 1. Jts. v. Chr. kommen von ganz verschiedenen Fundplätzen, die von Mesopotamien und Luristan bis nach Italien reichen. Aus dem syrisch-palästinischen Gebiet, wo im 2. Jt. v. Chr. die Schalen von Ras Shamra entstanden, stammt nur das eine Schalenfragment von Megiddo Or. 9. Die große Menge der Schalen wurde im NW-Palast in Nimrud in einem Magazinraum gefunden, einzelne Beispiele im Gebiet von Luristan. Eine größere Gruppe Schalen kommt aus Zypern, eine andere von Kreta, meist aus Heiligtümern und Gräbern. In Griechenland wurden die Schalen hauptsächlich in den großen Heiligtümern gefunden, die Schale Or. 92, Abb. 7 (S. 56) in einem Grab. Die reichsten Funde im Westen lieferten die etruskischen Gräber, aber auch in Gräbern in Süditalien fanden sich Schalen (Or. 102 und Or. 103).

Obwohl in diesen Gegenden des östlichen und westlichen Mittelmeers so reiche Funde gemacht wurden, ist es klar, daß die Metallschalen nach ihrem Stil nicht in Mesopotamien, Luristan, Zypern, Kreta, Griechenland oder Italien heimisch sind, sondern Erzeugnisse einer fremden Kunst, die importiert wurden. Sicher sind einige Stücke auf Zypern und Kreta, vielleicht sogar in Etrurien von ausgewanderten östlichen Handwerkern gearbeitet, andere wurden – vor allem auf Kreta –

---

207 Frankfort 149.

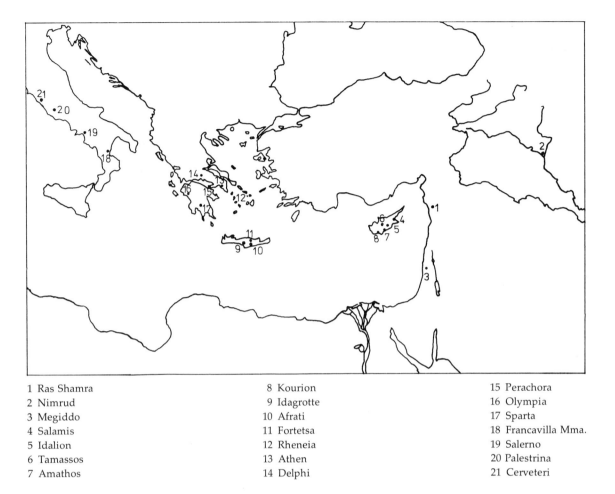

1 Ras Shamra	8 Kourion	15 Perachora
2 Nimrud	9 Idagrotte	16 Olympia
3 Megiddo	10 Afrati	17 Sparta
4 Salamis	11 Fortetsa	18 Francavilla Mma.
5 Idalion	12 Rheneia	19 Salerno
6 Tamassos	13 Athen	20 Palestrina
7 Amathos	14 Delphi	21 Cerveteri

Abb. 12. Die Fundorte der Metallschalen. M 1:15000000.

von griechischen Handwerkern in einem sich stark an die Vorbilder anlehnenden Stil nachgeahmt, der aber deutlich den orientalischen Einfluß zeigt. Eine Unterscheidung der im Osten gearbeiteten Schalen und solchen, die von ausgewanderten nordsyrischen oder phönizischen Handwerkern gefertigt wurden, ist nicht möglich.

2. Inschriften

Einen Hinweis auf die eigentliche Heimat der Metallschalen geben die Inschriften, die einige Exemplare tragen. Sie sind meist außen am Rand der Schale eingraviert, manchmal sind sie auf der
Innenseite sogar zwischen dem Figurenschmuck angebracht.

a. Aramäische Inschriften
Am häufigsten kommen aramäische Inschriften vor. Meist handelt es sich dabei nur um einen Personennamen. Die Präposition la- vor dem Namen könnte entweder den Namen des Besitzers oder
des Herstellers bezeichnen. Daß es sich bei den Namensinschriften um den Namen des Besitzers

handelt, zeigt ein Bronzeszepter aus Nimrud[208], das zusammen mit den Bronzeschalen gefunden wurde und ebenfalls eine Namensinschrift dieses Typs trägt. Der Name Mati ⁽ ⁾ el auf dem Bronzeszepter ist als der Name eines aramäischen Königs von Arpad bekannt, dem das Szepter offenbar ursprünglich gehörte, und der 743 v. Chr. von Tiglatpileser III. besiegt wurde. Bei den Schalen von Nimrud ist eine Unterscheidung in Phönizisch und Aramäisch allein durch die Schrift noch nicht möglich. Auf den Schalen N. 85 Or. 48 und N. 619 Or. 44 erscheint zusätzlich zum Namen das aramäische Wort für Schreiber. Dies gibt eine gewisse Berechtigung[209], auch die übrigen Schaleninschriften von Nimrud als aramäisch anzusehen. Daß in diesen beiden Fällen ein Schreiber genannt wird, ist ein weiteres Argument dafür, daß der Besitzer der Schale in der Namensinschrift gemeint ist.

Aramäische Inschriften tragen auch zwei Schalen aus Luristan. Die ältere Schale Or. 53 hat eine ausführliche Besitzerinschrift. Die jüngere Schale von Luristan Or. 54 trägt eine Weihinschrift und nennt außerdem denjenigen mit Namen, der die Schale beschriftet hat.

Auch die Schale von Olympia Or. 96 zeigt eine aramäische Namensinschrift, die sicher den Namen des Besitzers angibt.

b. Hebräische Inschriften

Die Namensinschrift auf der Nimrudschale N. 75 Or. 50 kann von der Schrift her als hebräisch eingestuft werden, da die hebräische Form des Waw verwendet wurde. Auch hier handelt es sich offenbar um den durch die Präposition la- angegebenen Namen des Besitzers.

c. Phönizische Inschriften

Die Fragmente zweier Schalen aus Zypern Or. 56 und Or. 57 enthalten die gleiche Weihinschrift des Statthalters von Qarthadašat an Baʿal. Durch die Nennung des Hiram, König der Sidonier, können sie genauer datiert werden, denn dieser Hiram kann wohl gleichgesetzt werden mit Hiram II., der 738 v. Chr. an Tiglatpileser III. Tribut zahlte[210].

Die Silberschale Or. 112 aus der Tomba Bernardini trägt nur einen Personennamen ohne die Präposition la-. Es kann entweder der Eigentümer der Schale oder der Künstler gemeint sein.

d. Zyprische Inschriften

Zwei der Schalen von Zypern Or. 59 und Or. 74 tragen zyprische Inschriften; es handelt sich um Besitzerinschriften.

Die Inschriften der Metallschalen
Mit Angabe des Fundortes und der Datierung der Inschrift nach Inhalt und Schriftzeichen soweit möglich.

	phöniz.	aram.	hebr.	zypr.
1 Nimrud N.19 Or. 30		×		
2 Nimrud N.50 Or. 17		×		
3 Nimrud N.89 Or. 47		×		
4 Nimrud N.75 Or. 50			×	
5 Nimrud N.14 Or. 45		×		

208 Barnett, Eretz Israel 8 (1967) 5* Taf. VIII, 2 N. 258. Vgl. zu Mati ⁽ ⁾ el auch Donner-Röllig, KAI² Nr.222 A,1.

209 Barnett, Eretz Israel 8 (1967) 1* ff. Naveh 12 Nr. 6.
210 Frankfort 195 mit Anm. 177. Donner-Röllig, KAI² Nr. 31.

		phöniz.	aram.	hebr.	zypr.
	6 Nimrud N.85 Or. 48		×		
	7 Nimrud N.619 Or. 44		×		
	8 Nimrud N.5 Or. 49		×		
	9 Nimrud N.633 Or. 46		×		
	10 Zypern, Frgte. A–F. Donner-Röllig: 3.V. d. 8. Jhs. v. Chr. Hiram. Or. 56	×			
8. Jh. v. Chr.	11 Zypern, Frgte. G. u. H. Donner-Röllig: 3.V. d. 8. Jhs. v. Chr. Hiram Or. 57	×			
	12 Olympia Or. 96. Naveh: Mitte 8. bis Anf. 7. Jh. v. Chr.			×	
	13 Luristan Or. 53. Dupont-Sommer: um 700 v. Chr.			×	
7. Jh. v. Chr.	14 Palestrina, T. Bernardini Or. 112	×			
	15 Luristan Or. 54. Dupont-Sommer: um 600 v. Chr.			×	
	16 Zypern, Cesn.Coll. 4557 Or. 59				×
6. Jh. v. Chr.	17 Zypern, Cesn.Coll. 4552 Or. 74				×

3. Lokalisierung

Wegen des stark ägyptisierenden Stils mancher Schalen dachte man früher an Phönizien als Herkunftsgebiet, wo dieser Stil häufig ist[211]. Für die Elfenbeine, mit denen die Metallschalen größte Verwandtschaft aufweisen, hat aber Barnett gezeigt, daß zu ihrer Lokalisierung nicht unbedingt der stärker ägyptisierende, sog. »phönizische« Stil oder der sog. »syrische« Stil herangezogen werden dürfen[212], zumal man auch mit wandernden Werkstätten rechnen muß oder solchen, in denen mehrere Stiltraditionen nebeneinander herlaufen. Die Frage nach dem Herstellungsgebiet der Elfenbeine ist ähnlich schwierig zu beantworten wie für die Schalen. Die Elfenbeine sind hauptsächlich in den assyrischen Palästen von Nimrud und Khorsabad gefunden, in Arslan Tasch, Sendschirli, Samaria, in Salamis auf Zypern und vereinzelt auf Rhodos, Samos, Kreta und in Griechenland. Für sie nimmt man zumindest als eines der Herstellungszentren Hama an aufgrund von Inschriften auf den Elfenbeinen selbst und Funden von Elfenbeinen und Elfenbeinabfällen in Hama[213].

Auch für die Schalen wird man damit rechnen müssen, daß sie von verschiedenen Herstellungszentren stammen. Ein Zeugnis für die Häufigkeit der Schalen im syrischen Gebiet geben die zahlreichen aramäischen Inschriften. Obwohl es sich dabei aller Wahrscheinlichkeit nach nur um Besitzerinschriften handelt, die also erst sekundär auf die Schalen gekommen sein können, so legen sie doch die Vermutung nahe, daß auch in Syrien derartige Schalen hergestellt wurden. Eine stilistische Trennung zwischen den in Phönizien selbst gearbeiteten Schalen und den außerhalb Phöniziens hergestellten ist noch nicht durchgehend für alle Beispiele möglich. Sicher wurden auch auf Zypern derartige Metallschalen erzeugt, wie es Gjerstad für die ganze Gruppe der auf Zypern gefundenen Schalen annimmt[214]. Zunächst wurden sie wohl von ausgewanderten phönizischen

211 So auch Frankfort 195 ff.

212 Barnett 46 ff. Millard, Iraq 24 (1962) 41 ff. Barnett, Iraq 25 (1963) 81 ff. Riis, Gnomon 35 (1963) 206.

213 Barnett 47 ff.

214 Gjerstad 4 ff. Canciani, in Civiltà del Lazio primitivo (1976) 221 ff. schlägt auch für die in den etruskischen Grä-

und syrischen Handwerkern hergestellt, die in größerer Zahl vom Festland auf die Insel kamen. Wir wissen, daß es seit dem 9. Jh. v. Chr. auf Zypern eine von den Phöniziern gegründete Stadt gab, Qarthadašat, das wahrscheinlich mit Kition gleichzusetzen ist[215]. In Kition gab es offenbar auch eine Werkstatt für Elfenbeinschnitzereien, wie dort gefundene Werkstattabfälle zeigen[216]. Die beiden Schalen mit zyprischen Inschriften gehören nach Gjerstads Einteilung[217] in die 1. Hälfte des 6. Jhs. v. Chr. Da man bei der Schale Or. 74 annimmt, daß die Inschrift gleichzeitig mit dem Figurenschmuck angebracht wurde, so wäre das ein Argument dafür, daß spätestens zu dieser Zeit derartige Schalen von zyprischen Handwerkern hergestellt wurden.

Auf Kreta finden wir rein orientalische Bronzearbeiten und kretische, welche die orientalischen stark nachahmen[218]. Dies läßt sich am einleuchtendsten durch Werkstätten eingewanderter Handwerker aus dem Osten erklären, zu denen immer mehr kretische Handwerker kamen[219]. Man muß also mit verschiedenen Herstellungszentren rechnen, wahrscheinlich mehrere im syrisch-phönizischen Raum, sicher eines auf Zypern und ein kretisch-orientalisierendes auf Kreta, das unter starkem orientalischem Einfluß stand. Genauere Angaben über die Lokalisierung der Schalen im syrisch-phönizischen Gebiet, ihrer eigentlichen Heimat, sind vorläufig nicht möglich, können aber vielleicht einmal durch Grabungen erbracht werden.

4. Datierung

Nur wenige Schalen sind in einem archäologisch datierten Zusammenhang gefunden. Die Schale Or. 9 aus Megiddo hat durch die Schicht ein Datum zwischen 1000 und 800 v. Chr., die Schale Or. 92, Abb. 7 (S. 56) vom Kerameikos ist durch die übrigen Grabbeigaben ins 3. Viertel des 9. Jhs. v. Chr. datiert. In die 1. Hälfte des 8. Jhs. v. Chr. gehört die Schale Or. 102 aus dem Grab bei Francavilla Mma. Die Schalen Or. 79 und Or. 89 aus Afrati kommen aus Gräbern der 1. Hälfte und des mittleren 7. Jhs. v. Chr. Das Grab P in Fortetsa, das die Schale Or. 80 enthielt, kann nur einen terminus ante quem liefern, denn es wurde vom Ende des 9. Jhs. bis ins 3. Viertel des 7. Jhs. v. Chr. mehrmals benutzt. Die Gräber aus Etrurien geben ebenfalls nur termini ante quos, die Tomba Regolini-Galassi mit den Schalen Or. 104–107 ist wohl nach der Mitte des 7. Jhs. v. Chr. geschlossen worden, die Tombe Barberini und Bernardini mit den Schalen Or. 109 und Or. 110–112 etwas später im 3. Viertel des 7. Jhs. v. Chr. Auch das Grab 2 von Salamis mit der Schale Nr. 73 erstreckt sich über einen längeren Zeitraum im 7. Jh. v. Chr. Diese wenigen, fest datierten Stücke ergeben für die Chronologie der Schalen eine Zeitspanne vom 9. Jh. bis ins 7. Jh. v. Chr. hinein. Für die übrigen Funde gibt es keine sicheren Daten.

Die große Gruppe der Schalen von Nimrud gelangte wahrscheinlich zur Zeit Sargon II. (721–705 v. Chr.) in den NW-Palast[220], allerdings können die Schalen z. T. viel älter sein, aber die Forschung kann diese Erzeugnisse noch nicht stilistisch datieren. Barnett nimmt an, daß ein Großteil

bern gefundenen Schalen (hier Or. 104–106, 109, 111–112) und verwandte Stücke (hier Or. 108, dazu Or. 109a und 113) sowie für die kesselartigen Gefäße Tomba Bernardini Nr. 23 (MemAmAc. 3, 1919, 33ff. Taf. 12ff.) und Boston, Museum of Fine Arts (Greek, Etruscan and Roman Art, 1963, 40 Abb. 31) eine zyprische Herkunft vor.

215 Harden, The Phoenicians (1971) 53. Anders Donner-Röllig, KAI² 49: hier wird eine Gleichsetzung mit Li-
massol (Lemesos) nahegelegt, das in römischer Zeit den Namen Neapolis trug.

216 Karageorghis, BCH. 97 (1973) 652.

217 Gjerstad 17.

218 S. Anm. 270.

219 Dunbabin, The Greeks and Their Eastern Neighbours (1957) 40f.

220 Mallowan, Nimrud and Its Remains I (1966) 93ff.

der Bronzen des NW-Palastes um 740 v. Chr. erbeutet wurde und nach Nimrud kam; denn auf einem Bronzeszepter erscheint der Name Mati ⁽⁾el, der bekannt ist als der Name des Königs von Arpad, den Tiglatpileser III. 743 v. Chr. besiegte[221]. Die Schriftform der Inschriften der Nimrudschalen widerspricht dieser Datierung nicht[222].

Die aus Luristan stammenden Schalen können nur durch Vergleich mit anderen Schalen datiert werden, da es keine archäologischen Zusammenhänge gibt. So stehen sich die Schale Or. 51 und die Schale Or. 58 aus Idalion besonders nahe und können im Stil mit der Schale Or. 92, Abb. 7, S. 56 aus Ker. Gr. 42 verglichen werden. Nach ihren Inschriften werden die Schalen Or. 53 und Or. 54 von Dupont-Sommer ans Ende des 8. Jhs. bzw. ans Ende des 7. Jhs. v. Chr. gesetzt[223].

Die auf Zypern gefundenen Schalen haben bis auf die Schale Or. 73 aus Salamis Gr. 2 keinen rekonstruierbaren archäologischen Kontext zur Datierung. In Gjerstads Einteilung in verschiedene Stilgruppen und Stilstufen werden sie vom späten 8. Jh. bis ins 6. Jh. v. Chr. hinein datiert[224].

Bis auf die in Gräbern gefundenen Schalen auf Kreta, für die das Grab jeweils nur einen ungefähren Anhaltspunkt zur Datierung gibt, kommen die übrigen Schalen fast ausschließlich aus der Idäischen Grotte und können so allenfalls stilistisch eingeordnet werden. Das gleiche gilt für die in Griechenland in den großen Heiligtümern gefundenen Schalen. Die aramäische Inschrift der Schale Or. 96 aus Olympia paßt in die Zeit von der Mitte des 8. Jhs. bis in den Anfang des 7. Jhs. v. Chr.[225].

Über die Datierung der Schalen aus den etruskischen Gräbern kann man nur soviel sagen, daß sie vor der Mitte des 7. Jhs. bzw. vor ca. 625 v. Chr. entstanden sein müssen, und man als Datum wahrscheinlich mit der Zeit vom Ende des 8. Jhs. bis zum Anfang des 7. Jhs. v. Chr. rechnen kann.

Da die orientalistische Forschung bisher keine sichere Grundlage gefunden hat, die Metallschalen und Elfenbeine nach ihrem Stil zu datieren, was mit dem dekorativen und mehr handwerklichen Charakter dieser Gattungen zusammenhängt, dürfen wir für die Zeitstellung der Schalen nur die in datierten Zusammenhängen gefundenen Stücke heranziehen. Diese geben als Zeitspanne dieser Schalengattung im 1. Jt. v. Chr. die Zeit vom 10. oder 9. Jh. v. Chr. (Or. 9) bis zum 7. Jh. v. Chr. an.

II. DIE BEZIEHUNGEN ZWISCHEN GRIECHENLAND UND DEM NORD-SYRISCHEN UND PHÖNIZISCHEN GEBIET IN GEOMETRISCHER ZEIT

Mehrere Argumente wurden bereits angeführt, die annehmen lassen, daß die orientalischen Metallschalen die Vorbilder für die attischen Keramikschalen waren. Dafür sprachen Ähnlichkeiten und Gemeinsamkeiten in der Form, in der Dekorationsweise und einzelne Motive der Bemalung. Dazu kommen erhärtend die Funde derartiger Metallschalen in Griechenland. Jetzt sollen die Beziehungen zwischen Griechenland und dem Osten in geometrischer Zeit untersucht werden. Da man die Herkunft der getriebenen Metallschalen mit Sicherheit im syrisch-phönizischen Gebiet

221 Barnett, Eretz Israel 8 (1967), s. auch Syria 46 (1969) 346f.
222 Naveh 12 Nr. 6.
223 Dupont-Sommer, Iranica Antiqua 4 (1964) 111ff.
224 Die Grundlage von Gjerstads Einteilung (a. O. 15ff.) bilden die Gefäßdarstellungen auf drei Schalen, die er als zyprisch erkennt und durch Vergleich mit der zyprischen Keramik datiert. Gleichzeitig geben diese Gefäßdarstellungen ein Argument für die zyprische Herstellung der Metallschalen.
225 Naveh 13 Nr. 9.

und auf Zypern lokalisieren kann, werde ich mich im folgenden darauf beschränken, die bisherigen Kenntnisse der Beziehungen und Kontakte Griechenlands zu diesem Gebiet zusammenzufassen.

1. Literarische Überlieferung

Die Phönizier werden in den homerischen Epen öfters erwähnt[226]. Ihre Rolle als Seefahrer wird in der Erzählung des Odysseus deutlich (Od. 13,271 ff.). Gleich nach seiner Ankunft auf Ithaka, sobald er die Insel erkannt hatte, erzählt er Athena von den phönizischen Seeleuten, die ihn hier, vom Sturm verschlagen, am unbekannten Strand samt seinem Gut angeblich abgesetzt haben und, während er schlief, wieder weggefahren seien. Kurz darauf trägt er dem Sauhirten Eumaios eine andere lange Geschichte vor (Od. 14,285 ff.), in der die Phönizier weniger günstig beschrieben werden. Er erzählt von seinem siebenjährigen Aufenthalt in Ägypten, wo er viele Güter angehäuft habe. Im achten Jahr aber sei ein Phönizier gekommen, der ihn überredet habe, mit ihm nach Phönizien zu gehen. Dort sei er das achte Jahr geblieben, bis der Phönizier ihn unter einem Vorwand auf ein Schiff nach Libyen gebracht habe, in der Absicht, ihn dort mit gutem Gewinn zu verkaufen. Glücklicherweise habe er Schiffbruch erlitten und sei zu den Thesproten gelangt.

Als verschlagene Handelsleute und Menschenräuber werden die Phönizier auch in der Erzählung des Eumaios geschildert (Od. 15,415 ff.). Er lebte als Kind im Palast seines Vaters, des Königs der Insel Syria. Eines Tages kamen dorthin phönizische Seefahrer und Handelsleute, die ein Jahr lang durch Handel große Schätze ansammelten. Bevor sie aber abfuhren, entführten sie mit Hilfe einer phönizischen Sklavin, die im Palast lebte, den Sohn des Königs, um ihn in der Fremde zu verkaufen. Während einer der Phönizier den König und die Frauen im Palast mit einem Halsgeschmeide ablenkt, eilt die Sklavin mit dem kleinen Eumaios zum Schiff, und sie segeln ab.

Hier werden aber auch die Kunstfertigkeiten der Phönizier gerühmt: die phönizische Sklavin, die aus vornehmem sidonischem Haus stammte und von taphischen Männern geraubt und an den Vater des Eumaios verkauft worden war, ist ἀγλαὰ ἔργα ἰδυῖα, was sicher auf die Herstellung von Textilien zu beziehen ist, denn das Spinnen und Weben ist in den homerischen Epen eine der wichtigsten Aufgaben der Herrin wie auch der Mägde im Haus[227]. Die Kunstfertigkeit sidonischer Frauen im Weben von prächtigen Textilien wird gerühmt, als Hekabe ein Gewand für Athena als Weihgabe aussucht (Il. 6,289 ff.). Der schlaue (πολύιδρις) Phönizier bietet im Palast bei der Entführung des Eumaios zur Ablenkung ein goldenes, mit Bernstein besetztes Halsband zum Verkauf an. Auch der Ruhm des Kraters, den Menelaos dem Telemachos schenkt (Od. 4,615 ff.) und dessen kunstvolle Arbeit dem Hephaistos zugeschrieben wird, fällt auf die Phönizier zurück, die als die eigentlichen Hersteller des Prachtstückes anzusehen sind; denn Menelaos erhielt ihn vom König

226 Zur Bedeutung des Wortes Φοίνικες und Σιδόνιοι bei Homer: in der früheren Forschung hatte man angenommen, daß bei Homer mit Φοίνικες in Wirklichkeit die Minoer gemeint seien, daß nur Σιδόνιοι tatsächlich die Phönizier bezeichnet. Dazu: Nilsson, Homer and Mycenae (1933) 131 f. Eindeutig ist Od. 15, 415, wo von der phönizischen Sklavin gesagt wird, daß sie aus Sidon stammt. Zwar ist nicht immer eindeutig zu entscheiden, ob die bei Homer beschriebenen Verhältnisse sich auf das 2. oder das 1. Jt. v. Chr. beziehen, die in Il. und Od. beschriebenen Kontakte mit den Phöniziern, die hier vor allem in ihrer bedeutenden Rolle als Seefahrer herausge-

stellt werden, dürften wohl sicher auf das erste Jt. v. Chr. zu beziehen sein.

Finley, The World of Odysseus (1954) 55 schlägt das 10. und 9. Jh. v. Chr. vor. Nach Dunbabin, 35 f. und Gray, Seewesen, Archaeologia Homerica (1974) G 133 und G 139 gehören die Nachrichten über die Phönizier bei Homer ins 8. Jh. v. Chr.

227 Il. III, 125 ff. VI, 491 ff. Od. 1, 356 ff. 2, 88 ff. 5, 61 f. 15, 122. Vgl. auch Friedrich, Die Realien in der Iliade und Odyssee (1856) 298 ff. Buchholz, Die homerischen Realien II (1881) 183 ff.

der Sidonier zum Geschenk. Einen kunstvollen silbernen Krater, den die kunsterfahrenen Sidonier schufen, setzt Achill bei der Leichenfeier für Patroklos als Preis im Wettlauf (Il. 23,740 ff.). Auch im Alten Testament werden die künstlerischen Fähigkeiten der Phönizier mehrmals genannt. Salomo läßt für die Ausstattung seines Tempels Hiram von Tyros holen (1. Könige 7,13 ff.), der für seine Arbeiten in Erz berühmt war. Er goß für Salomo die zwei ehernen Säulen[228], er machte das gegossene Meer auf den zwölf Rindern[229], und er fertigte zehn Gestelle auf Rädern, auf die Kessel gestellt wurden[230], außerdem machte er noch Töpfe, Schaufeln und Spendeschalen. Auch bei dem elfenbeinernen Haus des Ahab (1. Könige 22,39. Amos 3,15 und 6,4 ff.), das er nach seiner Heirat mit der Tochter des Königs von Tyros baute, und worunter man sich mit Elfenbeinen beschlagene Möbel oder (und?) elfenbeinerne Wand- und Türverkleidungen vorstellen muß, darf man an phönizische Künstler denken[231].

Der historische Hintergrund der Kadmos-Sage, wonach Kadmos, der Ṣohn des Agenor von Tyros, auf der Suche nach seiner entführten Schwester Europa Theben gegründet haben soll, liegt offenbar im 2. Jt. v. Chr., wie die neuen Ausgrabungen des mykenischen Palastes in Theben, sowie religionsgeschichtliche und sprachliche Untersuchungen zeigen, wonach tatsächlich Kontakte zum semitischen Gebiet bestanden haben[232].

Für das 1. Jt. v. Chr. in Anspruch zu nehmen, sind die Nachrichten über phönizische Niederlassungen und Siedlungen, die bei Herodot, Thukydides und anderen für die griechischen Inseln Rhodos, Thera, Melos, Thasos und Kythera überliefert sind[233].

Wie aus dem Mythos und der Kultüberlieferung hervorgeht, kam die Göttin Aphrodite aus dem Orient, nach der griechischen Überlieferung aus Syrien[234].

Wenn bei Homer die Phönizier auch meist nur in wenig rühmlichen Eigenschaften als Seefahrer geschildert werden, so geht daraus doch hervor, daß ihre Präsenz in ganz verschiedenen Teilen des Mittelmeers offenbar nichts Ungewöhnliches war und in den erfundenen Erzählungen des Odysseus durchaus Glaubwürdigkeit besessen haben muß. Die Schilderungen der kostbaren Metallgefäße, die so bewundert wurden und die den Phöniziern zuzuschreiben sind, passen bestens zu den für die Vergänglichkeit des Materials sehr zahlreichen Funden der getriebenen Metallschalen im griechischen Gebiet.

Umgekehrt gibt es für die Anwesenheit der Griechen im 8. Jh. v. Chr. im östlichen Mittelmeer, die vorwiegend durch archäologische Evidenz belegt ist, auch literarische Überlieferungen. Aus Texten Sargons II. (722–705 v. Chr.) geht hervor, daß griechische Seeleute die kilikischen Küstengewässer befuhren: er war es, »der Ionier, die mitten im Meer (operieren), wie Fische fing«[235]. Er

228 Vgl. Barnett 59 Anm. 7. Ähnliche Säulen: Barnett, Archaeology 9 (1956) 93 Abb. 9 rechts. Niemeyer, MM. 11 (1970) 99 ff.

229 Barnett 59 Anm. 4 erinnert an den riesigen Steinkessel mit zwei Rinderfiguren aus Amathos, Bossert, Altsyrien (1952) Abb. 281–282.

230 Sehr gut entsprechen der Beschreibung die Kesseluntersätze auf Rädern aus Zypern: Lamb, Greek and Roman Bronzes (1929) Taf. XIIa und b; Bossert, Altsyrien (1952) Abb. 300 f. und 296 ff. Vgl. Furtwängler, Kleine Schriften II (1913) 298 ff. Riis, ActaArch. X (1939) 8 f. Barnett 59, 121.

231 Barnett 60, 112 ff. Crowfoot, Early Ivories from Samaria (1938) 1: an Wänden und Türen.

232 Astour, Hellenosemitica (1965) 152 ff., 220 ff. Rez. Pfiffig, Anz. f. d. AW 21 (1968) 40 ff. Boardman, Classical

Review 80 (1966) 86 ff. Hampe, Kretische Löwenschale des 7. Jhs. v. Chr., SB Heidelberg (1969) 30. Simon, Die Götter der Griechen (1969) 231, 260 ff., 272. Literaturzusammenstellungen bei Symenoglou, Kadmeia I (1973) 11 Anm. 12; 75 Anm. 468.

233 Her. I, 103, 3: Kythera, dazu Hampe, Kretische Löwenschale des 7. Jhs. v. Chr., SB Heidelberg (1969) 29, 37. Her. II, 44 und VI, 47: Thasos. Zenon, Jacoby, FGH IIIb, 434–5; Diod. V,58, FGH IIIb 523; Ergias, apud Athen. VIII, 360, FGH IIIb, 513: Rhodos.

234 Her. I, 105. Simon, Die Götter der Griechen (1969) 230 f. Hampe, Kretische Löwenschale des 7. Jhs. v. Chr. (1969) 29 f.

235 Erzen, Kilikien bis zum Ende der Perserherrschaft (1940) 60 ff. Hanfmann, Tarsus III (1963) 111 Anm. 84. Röl-

weist auch darauf hin, daß die Griechen ihre Tätigkeit in diesem Gebiet schon vor längerer Zeit begonnen haben, so daß man seit der Mitte des 8. Jhs. v. Chr. mit einer Präsenz der Griechen in Kilikien rechnen darf. Auch für die Zeit Sanheribs (705–689 v. Chr.) wird von Kämpfen mit Griechen berichtet[236], die in Zusammenhang stehen mit der griechischen Beteiligung am kilikischen Aufstand, als dessen Folge Tarsus 696 v. Chr. von Sanherib zerstört wurde[237].

Dazu tritt als bedeutendste Kulturleistung der geometrischen Zeit die Übernahme des semitischen Alphabets und seine geniale griechische Ausgestaltung durch das Hinzufügen von Vokalzeichen[238]. Die früheste erhaltene, griechische Inschrift auf der attischen Preiskanne Athen, Nat.Mus. 192 um 740 v. Chr. setzt bereits eine verbreitete Kenntnis der Schrift voraus (s. Anm. 169).

2. Archäologische Überlieferung

Am Ende des 13. Jhs. v. Chr. kam es infolge der Großen Völkerwanderung zu einer völligen politischen Umformung des Ostens. Das Hethiterreich wurde zerstört, in seinem ehemaligen Machtbereich in Nordsyrien entstanden Kleinstaaten. Nach dem Tod Ramses III. (1153 v. Chr.) wurde Ägypten schwächer, so daß es für den Nahen Osten weder eine tatsächliche noch eine potentielle Gefahr darstellte[239]. Am Euphrat entstand im Laufe des 12. Jhs. v. Chr. unter Tiglatpileser I. das mittelassyrische Reich, das erst zwei Jahrhunderte später nach Westen vordrang und seinen Machtbereich ausdehnte. Diese Lage ermöglichte den nordsyrischen und phönizischen Stadtstaaten, die jetzt frei von einer direkten Bedrohung waren, ihren bedeutenden Aufstieg. Nach dem Zusammenbruch der minoisch-mykenischen Seemacht traten die Phönizier nun an deren Stelle.

Bei der starken Expansion der Phönizier nach Westen kam es zu zahlreichen Koloniegründungen und einem ausgedehnten Handelsverkehr. Hier soll nur erwähnt werden, was über die Phönizier auf ihrem Weg nach Westen bekannt ist, und was sie an Spuren im griechischen Bereich hinterlassen haben.

Archäologisch nachweisbar ist die phönizische Stadtgründung Kition auf Zypern, die wahrscheinlich bereits im 9. Jh. v. Chr. erfolgte[240]. Eine phönizische Niederlassung in Ialysos und Kameiros auf Rhodos erschloß Coldstream aus zahlreichen Funden, die dafür sprechen, daß es hier von Phöniziern eingerichtete Salbölfaktoreien gab[241]. Dieser Kontakt zwischen Phönizien und Rhodos begann ebenfalls im 9. Jh. v. Chr. Das orientalische Salböl war eng mit dem Kult der Aphrodite verbunden, die ebenfalls aus dem Orient kam[242].

In den Beziehungen zwischen Griechenland und Zypern lassen sich gegenseitige Beeinflussungen

lig, Reallexikon der Assyriologie III (1957–71) 644f. s. v. »Griechen«. Bing, JNES 30 (1971) 100ff.

236 Die Nachricht aus den Babylonika des Berossos ist über Alexander Polyhistor bei Eusebios erhalten (Schnabel, Berossos, 1923, fr. 43 und 43a). Einen etwas abweichenden Bericht, der aber auf dieselbe Quelle zurückgeht, gibt Abydenos (Schnabel, a.O. fr. 44).

237 Luckenbill, Ancient Records of Assyria and Babylonia II (1926) 145.

238 Eine Ableitung des griechischen Alphabets von der aramäischen Konsonantenschrift vertritt K. Beyer, in Ruperto-Carola 42 (1967) 16 mit Anm. 3. Dies würde bedeuten, daß besonders enge Beziehungen zu syrischen Staaten vorhanden waren, nicht nur zu Phönizien. Ins späte

12. oder frühe 11. Jh. v. Chr. setzt Naveh, AJA. 77 (1973) 1ff. aufgrund epigraphischer Überlegungen die Übernahme der Schrift durch die Griechen.

239 Albright, CAH² 51 (1966) 35ff.

240 Karageorghis, Zypern (1968) 156ff. Ders., BCH. 87 (1963)ff. Ders., AM. 89 (1974) 372ff. Harden, The Phoenicians (1971) 53. Karageorghis, Kition (1976) 95ff.

241 Coldstream, BICS 16 (1969) 1ff. Hampe, a.O. 33f., Eindringen des Kultes der orientalischen nackten Göttin und des Salböls aus dem Osten.

242 Simon, Die Götter der Griechen (1969) 230f. Hampe, a.O. 29ff. 33ff. Mit dem Salböl fanden auch die Formen der orientalischen Ölgefäße Eingang in Griechenland, wie die Heidelberger Löwenschale Inv. 59/1 des 7. Jhs.

erkennen. Auf Zypern wurde griechisch geometrische Keramik vom 9. Jh. v. Chr. an gefunden, welche die Verbindungen Griechenlands mit Zypern bezeugt[243]. In der zyprischen Keramik werden die Formen der Skyphoi und der Kratere nachgeahmt, die zu den häufigsten auf Zypern gefundenen Importen griechisch geometrischer Keramik gehören. Außerdem finden sich auf zyprischen Vasen vor 700 v. Chr. Mäander und Vierblatt[244]. Umgekehrt verrät die um die Mitte des 8. Jhs. v. Chr. in Attika aufkommende Gruppe der Oinochoen mit konzentrischen Kreisen am Bauch deutlich den Einfluß zyprischer Gefäße, durch deren Anregung diese Dekorationsweise gewählt wurde[245]. Zypern bildete offenbar eine Station für die griechischen Handelsverbindungen am Wege zur syrisch-phönizischen Küste.

Aber auch die Griechen haben im Osten ihre Spuren hinterlassen. Die Ausgrabungen von Al Mina im Orontesdelta haben erbracht, daß hier im 8. Jh. v. Chr. eine griechische Stadt bestand, die man mit dem bei Herodot III 91 genannten Posideion identifizieren kann. Es wurde attisch geometrische Keramik gefunden, attisierende, darunter kykladische, euböische und lokale Nachahmungen, korinthisch geometrische und protokorinthische Keramik und euböische Imitationen, sowie rhodische Keramik[246]. Bei den Ausgrabungen in Tarsus in Kilikien wurde ebenfalls zahlreiche griechische Keramik der 2. Hälfte des 8. Jhs. v. Chr. gefunden. Wegen des großen Anteils an rhodischer Keramik wurde neuerdings vorgeschlagen, hier eine Koloniegründung von Lindos zu sehen[247]. Auch sonst gibt es im syrisch-palästinischen Gebiet einige Funde griechisch geometrischer Keramik, die durch Handelsverbindungen an die verschiedenen Orte gelangte. Griechische Keramikfragmente des 9. und 8. Jhs. v. Chr. wurden in Nordsyrien außer in Al Mina in Tell Sukas, Tabbat-al-Hammam, Hama, Tell Tayinat, Judaidah und Tell Halaf gefunden[248], in Palästina in Tell Abu Hawam, Megiddo und Samaria[249].

Die häufigen Funde syrisch-phönizischer Handwerkserzeugnisse im griechischen Gebiet, zu denen schließlich auch die Metallschalen gehören, bezeugen die ausgedehnten Handelsverbindungen. Obwohl sie aus sehr empfindlichen Materialien gearbeitet sind – Elfenbein, Bronze und andere Metalle – ist uns erstaunlich viel erhalten. Wahrscheinlich gehörten zu diesen phönizischen Exportartikeln auch kunstvoll gewebte Stoffe, wie sie die Dichtung beschreibt, die uns aber natürlich nicht erhalten sind. Im folgenden werden nur die in Griechenland importierten Denkmäler außer den genannten Metallschalen aufgeführt[250].

1. Kessel mit figürlichen Flügelattaschen, deren Herkunftsgebiet man wohl in Nordsyrien suchen muß, wurden in besonders großer Anzahl in Olympia gefunden, aber auch in anderen Heiligtümern: Delphi, Argos, Ptoion, Lindos, Delos. Zeitlich setzen sie in der 2. Hälfte des 8. Jhs. v. Chr., spätestens in dessen 3. Viertel ein[251].

v. Chr. zeigt, die offenkundig in Nachahmung der syrischen Salbschalen für den gleichen Zweck auf Kreta getöpfert wurde, Hampe a. O. 13 ff. 37 ff.

243 Coldstream 319 ff.

244 Coldstream 384. Dazu auch Buschor, Griechische Vasen (1940) 11, 17.

245 Coldstream 74 ff.: sog. »Concentric Circle Group«.

246 Robertson, JHS. 60 (1940) 2 ff. Dunbabin, 36 ff. Boardman, 62 ff. Ders., JHS. 85 (1965) 5 ff. Coldstream 313 ff., 384. Gjerstad, ActaArch. 45 (1974) 107 ff.

247 Hanfmann, Tarsus III (1963) bes. 110 ff., 127 ff., 138 ff. Boardman, 69 f. Ders., JHS 85 (1965) 5 ff. Bing, Tarsus: A Forgotten Colony of Lindos, JNES 30 (1971) 99 ff.

248 Dunbabin, 28 ff. Coldstream 310 ff. Riis, Sukas I (1970) 46 ff., 126 ff.

249 Coldstream 302 ff.

250 Dazu Muscarella 109 ff. und Herrmann, JdI. 81 (1966) 131 ff.

251 Liste der bekannten Flügelattaschen bei Herrmann, OlForsch. VI (1966) 57 f.

Für eine urartäische Herkunft traten vor allem ein: Akurgal, Kunst Anatoliens (1961) 35 ff. Ders., Urartäische und altiranische Kunstzentren (1968) 20 ff. Mellink, in Gedenkschrift Bossert, Jb. f. kleinasiatische Forschung II (1965) 323. Kyrieleis MarbWPr. 1966, 1 ff.

2. Fragmente von sechs konischen Kesseluntersätzen aus Olympia, deren älteste noch dem 8. Jh. v. Chr. angehören[252].
3. Bronzene Reliefbleche aus Olympia, von denen einige im 8. Jh. v. Chr. in nordsyrischen Werkstätten gearbeitet sein dürften[253].
4. Das Reliefblech Olympia Br 1325 (jetzt Athen, Nat.Mus.) gehört dem gleichen Stilkreis an wie die Kesseluntersätze[254].
5. In Treibarbeit gefertigte, figürlich verzierte Teile von Pferdegeschirr: im Heraion von Samos wurden Reste von vier Wangenplatten und eine Stirnplatte gefunden[255], eine weitere Wangenplatte in Eretria[256] und zwei Stirnplatten in Milet[257].
6. Getriebene Bronzeschalen mit Sphingen und Panthern, die Köpfe en face wiedergegeben, aus Olympia und vom Kerameikos in Athen[258], die nach der Datierung des Kerameikos-Grabes 62 um 690–680 v. Chr. noch aus dem 8. Jh. v. Chr. stammen.
7. Bronzestatuetten aus dem Heraion von Samos[259], aus Kreta[260], Thermos[261] und von Sunion[262].
8. Steatitschale aus dem Heraion von Samos[263], wohl bereits aus dem 7. Jh. v. Chr.
9. Im Heraion von Samos wurden auch zahlreiche Elfenbeine des syrisch-phönizischen Stils gefunden. Nach den spärlichen Aussagen der Fundumstände zu schließen, begann der orientali-

Für nordsyrisch halten sie:
Muscarella, Hesp. 31 (1962) 317 ff. Herrmann, OlForsch. VI (1966) 27 ff., 59 ff. van Loon, Urartian Art (1966) 107. Young, JNES 26 (1967) 150. Muscarella 110 f. Herrmann, Olympia (1972) 82 f.
Für die im Westen vertretene Gruppe der Stierattaschen wurde ebenfalls eine nordsyrische Herkunft vorgeschlagen (Herrmann, OlForsch. VI, 1966, 122 ff., 128; Muscarella 111 f.). Noch nicht geklärt ist die Herkunft der Vogel- und Greifenattaschen sowie der Kesseltiere (Muscarella 112 ff.; dazu die Funde aus dem Heraion von Samos, Jantzen, Samos VIII (1972) 63 f. Taf. 59 f.).
Seit der Wende zum 7. Jh. v. Chr. werden dem Kesseltyp mit Flügelattaschen auch Greifen- und Löwenprotomen hinzugefügt, die vom Typ her ebenfalls nordsyrisch sein dürften, jedoch überhaupt nicht im Osten belegt sind (dazu Muscarella 109 f.; Herrmann, Olympia, 1972, 82 ff., zur Problematik der Unterscheidung möglicher orientalischer Importstücke und griechischer Nachahmungen Anm. 309–311).
252 Herrmann, OlForsch. VI (1966) 161 ff., 174 ff. Vgl. auch die Kesseluntersätze aus der Tomba Barberini (MemAmAc. 5, 1925, 44 f. Nr. 80 Taf. 27–29) und aus der Tomba Bernardini (MemAmAc. 3, 1919, 77 Nr. 81 Taf. 58–59).
253 Kunze, Delt. 17 (1961/62) 115 f. Taf. 129–130. Daux, BCH. 84 (1960) 718 Abb. 6. Herrmann, OlForsch. VI (1966) 177 f. Herrmann, Olympia (1972) 86 Taf. 24a und b. Die endgültige Veröffentlichung bereitet D. Rittig vor.
254 Olympia IV (1890) Taf. 39, 695. Daux, BCH. 86 (1962) 635 Abb. 8. Herrmann, OlForsch. VI (1966) 177 Anm. 1, 180.
255 Buschor, in Neue deutsche Ausgrabungen im Mittelmeergebiet und im Vorderen Orient (1959) 37, 208 ff.

Abb. 10 Taf. 8a. Kantor, JNES 21 (1962) 108 f. Abb. 13A. Herrmann, JdI. 81 (1966) 138 ff., Abb. 52. Jantzen, Samos VIII (1972) 58 ff. Taf. 52 ff.
256 Athen, Nat.Mus. 15070. Niki, R.A. 6. Ser. (1933) I 145 ff. Abb. 1a. Herrmann, JdI. 81 (1966) 138 Abb. 51. Muscarella 116 Nr. 1 Abb. 10.
257 Berlin, Staatl. Mus. Inv. M 32 und M 31. Barnett 101 Abb. 38 und 39. Barnett, in Vorderasiatische Archäologie (1964) Taf. 1 (dort Taf. 2, auch eine weitere Stirnplatte aus der Slg. Bomford). Vgl. auch die Funde aus Salamis Grab 79, Karageorghis, Salamis III (1973) Taf. 85 ff., 119 f., 267.
258 Olympia B 1145: Herrmann, OlForsch. VI (1966) 178 Taf. 76.
Ker. Inv. M 133 und M 134 aus Grab 74 und Inv. M 140 aus Grab 62: Kübler, Ker. VI,2 (1970) 396 ff. Taf. 123 ff. Vgl. dazu die Schale aus der Tomba Bernardini Nr. 65 (MemAmAc. 3, 1919, 68 f. Taf. 46), die Schale Pennsylvania (Young, JNES 26, 1967, 145 ff.) und die Fragmente aus dem Kunsthandel Rom (Strøm, Problems Concerning the Origin and Early Development of the Etruscan Orientalizing Style, 1971, 130 Abb. 80). Muscarella 117 f. Nr. 3, 7, 11 und 16. Canciani, in Civiltà del Lazio primitivo (1976) 224.
259 Jantzen, Samos VIII (1972) 66 ff. Taf. 64 ff.
260 Dunbabin, 36 f. Taf. VIII,1–3.
261 Müller, Frühe Plastik in Griechenland und Vorderasien (1929) Taf. 41, 403.
262 Hanfmann, Hesp. 31 (1962) 236 ff. Taf. 85.
263 Walter, AM. 74 (1959) 69 ff. Taf. 115 ff. Freyer-Schauenburg, Elfenbeine aus dem samischen Heraion (1966) 101. Muscarella 118 Nr. 17. Vgl. auch die jenem Typ entsprechende Elfenbeinschale, Freyer-Schauenburg, a.O. 98 ff. Taf. 28.

sche Import auf Samos im letzten Viertel des 8. Jhs. v. Chr.[264]. Auch von einigen Fundplätzen auf Rhodos (Lindos, Kamiros und Ialysos) sind Elfenbeine des syrisch-phönizischen Stils bekannt[265]. Auf Kreta wurden derartige Elfenbeine in der Idagrotte gefunden[266]. Ein kleiner Elfenbeinkopf kam in Perachora ans Licht[267].

Griechische Nachahmungen nordsyrischer und phönizischer Importe:
1. Deutlich von den orientalischen Importen unterschieden sind die griechischen Nachahmungen der Flügelattaschen, deren Reihe im letzten Viertel des 8. Jhs. v. Chr. beginnt[268].
2. Eine lokale Nachahmung zu den getriebenen Metallschalen mit frontal wiedergegebenen Sphingenköpfen vom Kerameikos Inv. M 139[269].
3. Die Gruppe der kretischen Bronzeschilde, die in der Idäischen Grotte gefunden wurden. Hier muß man wohl mit auf Kreta ansässigen Werkstätten rechnen, die zunächst von eingewanderten östlichen Handwerkern betrieben wurden, dann aber immer mehr Griechen aufnahmen[270].
4. Bronzerelief von einem Köcher (?) aus Fortetsa[271].
5. Das bronzene Kopfgefäß Oxford AE.411 aus der Idäischen Grotte[272].
6. Model eines Kopfes, aus korinthischem Ton gefertigt, in nordsyrischem Stil, gefunden in Korinth KH 1[273].
7. Griechische Nachahmungen der syrisch-phönizischen Elfenbeinschnitzereien aus Kamiros und Ephesos[274], von Sparta[275], Perachora[276] und Delphi[277] sowie die Elfenbeinfiguren aus dem Dipylongrab XIII in Athen[278].

264 Freyer-Schauenburg, Elfenbeine aus dem samischen Heraion (1966) 15 Kat. Nr. 11–25 Taf. 12–28. Jantzen, Samos VIII (1972) 88. Vgl. auch die neuen reichen Elfenbeinfunde von Möbelstücken in Salamis Gr. 79, Karageorghis, Salamis III (1973) 54 ff., 240 ff.

265 Blinkenberg, Lindos I (1931) 64, 1572. 1582; 15, 420; 16, 421. Clara Rhodos VI–VII (1933) Abb. 73: Kameiros. Barnett Abb. 15: Ialysos.

266 Kunze, AM. 60–61 (1935–36) 218 ff. Taf. 84 ff. Barnett, JHS. 68 (1948) Abb. 1.

267 Stubbings, Perachora II (1962) Taf. 173 A 9.

268 Herrmann, OlForsch. VI (1966) 90 ff.

269 Kübler, Ker. VI,2 (1970) 396 ff. Taf. 123. Vgl. auch die lokalen Nachahmungen dieses Schalentyps aus der Tomba Bernardini Nr. 64 (MemAmAc. 3, 1919, 66 ff. Taf. 45), die Schale von Capena Grab XVI im Museo Preistorico, Rom, die Schale von Castellato Ticinese im Mus. Arch. Turin und die Bronzescheibe von Vetulonia (Brown, The Etruscan Lion, 1960, 9 ff., 23 f. Taf. Va, XIa und b); außerdem das Gefäß aus Satricum Tomba II (Strøm, Problems Concerning the Origin and Early Development of the Etruscan Orientalizing Style, 1971, 130 ff. Abb. 81) und aus der Tomba Barberini Nr. 79 (MemAmAc. 5, 1925, 42 ff. Taf. 26 und 27,1). S. Muscarella 118 f. Nr. 1–6. Canciani, in Civiltà del Lazio primitivo (1976) 224.

270 Kunze 247 hält sie für griechische Arbeiten unter orientalischem Einfluß. Darin schlossen sich ihm viele Forscher an. Canciani 169 ff. rechnet seine Gruppen 2–5 zyprischen Werkstätten zu, die Gruppe 1 hält er für Im-

porte aus einem assyrischen Randgebiet, die Gruppen 6–9 für kretische Arbeiten. Die Zuweisung der zahlenmäßig großen Gruppen 2–5 an Zypern stieß aus stilistischen Gründen auf berechtigte Kritik, vgl. Kyrieleis, Gnomon 44 (1972) 704 ff.; Niemeyer, Gymn. 79 (1972) 96 ff. Sehr überzeugend wurde von Boardman, zuletzt in Dädalische Kunst auf Kreta im 7. Jh. v. Chr. (1970) 14 ff., die Lösung durch Einwanderung orientalischer Handwerker vorgetragen, die bereits von Dunbabin, 40 f. vertreten worden war, und die am einleuchtendsten erscheint. So auch Carter, BSA. 67 (1972) 44.
Exporte kretischer Schilde nach Milet und Delphi, Kunze 281 und BCH. 68/69 (1944/45) Taf. 3,1.

271 Brock, Fortetsa (1957) 135 f., 197 ff. Nr. 1569 Taf. 116 und 169.

272 Boardman, The Cretan Collection in Oxford (1961) 80 ff. Nr. 378 Abb. 35 Taf. 28. Ders., 64 Taf. 6a. Riis, Sukas I (1970) 170 f. Abb. 62.

273 Corinth XV 1 (1948) Taf. 29,1. Dunbabin, 37 Taf. VIII, 6–7. Riis, Sukas I (1970) 172 Abb. 63.

274 Hogarth, Excavations at Ephesos (1908) Taf. 28, 30 und 31.

275 Dawkins, Artemis Orthia (1929) Taf. 91 ff.; 117 ff., 148 ff. Barnett, JHS. 68 (1948) Taf. VIII–X. Marangou, Lakonische Elfenbein- und Beinschnitzereien (1969) 203 ff. Taf. 1 ff.

276 Barnett, JHS. 68 (1948) Taf. Vb. Stubbings, Perachora II (1962) Taf. 171 f., 174.

277 Barnett, JHS. 68 (1948) Taf. XIIc und d.

Motive des nordsyrischen Kunstkreises, die in die griechische Kunst übernommen wurden:

1. Bildtyp der auf einem Tier stehenden Gottheit auf dem Dreifußbein Olympia Br 12823 und B 1665 des 3. Viertels des 8. Jhs. v. Chr. und auf der böotisch spätgeometrischen Bronzescheibe von Tegea[279].

2. Das Schema der geometrischen Lanzenschwinger-Statuetten aus Bronze ist offenbar von entsprechenden syrisch-phönizischen Statuetten abgeleitet[280].

3. Die komplizierten Kreisornamente Lotosrosette und Netzrosette, wie sie auf den böotisch spätgeometrischen Halbmondfibeln erscheinen, haben in der syrisch-phönizischen Kunst ihre Vorbilder[281].

4. Das Motiv des Palmbaums in der geometrischen Keramik von Rhodos und Kos aus der 2. Hälfte des 8. Jhs. v. Chr.[282].

5. Zwei rhodisch spätgeometrische Keramikpyxiden, die in Form und Verzierung von den nordsyrischen Elfenbein- oder Holzpyxiden abhängig sind[283].

6. Zwei seltene Gefäßtypen der rhodisch spätgeometrischen Keramik: die ovoide Oinochoe[284] und das Salbölgefäß mit rötlichem Überzug[285].

7. Heraldische Gruppe der Ziegen am Lebensbaum in der euböischen und in der böotischen spätgeometrischen Vasenmalerei[286].

8. Die Entstehung der erzählenden Figurenbilder in der geometrischen Vasenmalerei ist vielleicht ebenfalls einer Anregung des Orients zu verdanken[287].

9. Darstellungen von Rindern in der Vasenmalerei, s.o. S. 55ff.

10. Löwenbilder, Löwenkampf, s.o. S. 58ff.

11. »Panther«, s.o. S. 61.

278 Homolle, BCH. 15 (1891) 441f. Perrot, BCH. 19 (1895) 273ff. Abb. 8–12 Taf. IX. Kunze, AM. 55 (1930) Taf. V–VIII Beil. XLf.

279 S. Anm. 161, Carter, BSA. 67 (1972) 50 Taf. 12a. Maaß, Die geometrischen Dreifüße von Olympia, Ol-Forsch. IX, Kap. I 6 (noch im Druck).

280 Himmelmann-Wildschütz, Bemerkungen zur geometrischen Plastik (1964) 18 mit Anm. 38. Kunze, Olympiabericht 8 (1967) 224 mit Anm. 25. Herrmann, Olympia (1972) 75. Vgl. auch Boardman, The Cretan Collection in Oxford (1961) 76f.

281 Hampe Taf. 1ff. Schweitzer, Herakles (1922) 161. Fittschen 220f. Schweitzer 228ff.

282 Rhodos: Krater Berlin 2941 (CVA. Berlin 4 Taf. 154), Kantharos Kamiros Gr. 25,3 (ClRh. VI/VII, 1932–33, 79 Abb. 88). Kantharos Louvre A 288 (Schweitzer Taf. 92). Lekythos Kopenhagen 8225 (CVA Kopenhagen 2 Taf. 65,9; Schweitzer Taf. 90). Krater Kopenhagen 12432 = Exochi C1 (Johansen, ActaArch. 28, 1957, Abb. 46–48; Coldstream Taf. 63a). Randfragment eines Bechers von Lindos (Blinkenberg, Lindos I 1931, Taf. 42, 935).
Kos: Oinochoe Kos 700 (Bd'A. 35, 1950, 321 Abb. 95; Coldstream Taf. 63b). Kraterfragment (?) (Walter, Samos V, 1968, Taf. 89 Nr. 499).
Fragment aus Thera (Dragendorff, Thera II, 1903, 32 Abb. 91).
Ausführlich Johansen, ActaArch. 28 (1957) 111f. Coldstream 285, 288. Schweitzer 90f.

283 Pyxis Rhodos 14749 aus Kamiros (ClRh. VI/VII, 1932–33, 203 Abb. 243; Coldstream Taf. 62a). Pyxis Exochi X 3 (Johansen, ActaArch. 28 (1957) 62 Abb. 128). Ausführlich Johansen, a.O. 148ff.; Coldstream 275f.

284 Gotha ZV 3 (CVA Gotha 1 Taf. 5,1). Berlin 2949 (JdI. 1, 1886, 137; Johansen, ActaArch. 28, 1957, 153 Abb. 220). Exochi D 2 (Johansen, a.O. Abb. 62). Johansen, a.O. 152ff.; Coldstream 275.

285 Vielleicht auch zyprischer Einfluß. Johansen, ActaArch. 28, 1957, 161ff. Coldstream 275f. Zu weiteren zyprischen Einflüssen: Schweitzer 90 Abb. 48. Coldstream 276.

286 Euböisch spätgeometrisch: Krater New York 74.51.965 (Coldstream Taf. 35; ders., BICS 18, 1971, 1ff. Taf. Ia; Kahane, AntK. 16, 1973, 114ff. Taf. 25f.). Hydria aus Chalkis (Themelis, AAA.2, 1969, 27f. Abb. 6–7; BCH. 94, 1970, 1090 Abb. 447–448; Coldstream, BICS 18, 1971, 2ff. Taf. Ib und c).
Böotisch spätgeometrisch: Becherkrug Kopenhagen 5374 (CVA. Kopenhagen 2 Taf. 67, 4a–b; Coldstream 204, 207; Ruckert, Frühe Keramik Böotiens, AntK. 10. Beiheft, 1976, 38 Varia 14).

287 Schweitzer 58f.; Carter, BSA. 67 (1972) 25ff., 37ff., 58. Einige Szenen der Kannen der Rattle Group (Coldstream 71f. XIII) wurden auch ikonographisch von nordsyrischen Vorbildern abhängig gemacht; Ahlberg, OpAthen. 7 (1967) 177ff. Falls dies zutrifft, so ist auch hier nur die Anregung zur Darstellung solcher Szenen von außen gekommen, die Durchführung und auch der Inhalt sind griechisch.

12. Fabelwesen: Sphingen, geflügelte Ziegenböcke, s. o. S. 61ff.
13. Auch die Entwicklung des protokorinthischen Stils wurde auf den Einfluß des Nahen Ostens zurückgeführt[288], und das protokorinthische Löwenbild wurde nachweislich vom nordsyrischen Löwentyp abgeleitet[289].

Zusammenfassung

Zahlreiche Keramikfunde dokumentieren die Beziehungen Griechenlands zur Levante im 8. Jh. v. Chr. und griechische Siedlungen und Handelsniederlassungen in diesem Gebiet. Die vielen Funde syrisch-phönizischer Kunstgegenstände – vornehmlich aus Metall und Elfenbein – auf griechischem Boden und solche griechischen Erzeugnisse, die offenkundig in Anlehnung an den syrisch-phönizischen Stil entstanden sind, bilden den archäologischen Nachweis der Verbindung des geometrischen Griechenland mit dem syrisch-phönizischen Raum und machen die Beeinflussung und Befruchtung der griechischen Kunst durch den Vorderen Orient deutlich. Hier ist angelegt, was sich im 7. Jh. v. Chr. voll entfaltet. Die literarischen Zeugnisse über die gegenseitigen Beziehungen sowohl in griechischen Quellen, besonders bei Homer, als auch in assyrischen Texten werden also durch die archäologische Forschung bestätigt.

288 Boardman, 27.

289 Payne, Necrocorinthia (1931) 67. Brown, The Etruscan Lion (1960) 2ff.

Das Verhältnis der attischen Keramikschalen zu den orientalischen Metallvorbildern

Zwischen den attischen Keramikschalen und den syrisch-phönizischen Metallschalen konnten mehrere Berührungspunkte und Ähnlichkeiten aufgezeigt werden. Besonders auffallend ist die gleiche Dekorationsweise der Innenseite in konzentrischen Zonen mit Figurenfriesen und das häufige Auftreten der spezifisch orientalischen Tierfriese auf den attischen Schalen, sowie einzelne Themen der Darstellung wie beispielsweise Stiere, Löwen und Sphingen. Wenn man dazu die zahlreichen Funde syrisch-phönizischer Metallschalen in Griechenland bedenkt, so erhöht sich die Wahrscheinlichkeit ganz beträchtlich, daß sie als Anregung und Vorbilder für die attischen Schalen gedient haben. Dieses Abhängigkeitsverhältnis fügt sich gut in die Beziehungen und Handelsverbindungen zwischen Griechenland und dem syrisch-phönizischen Gebiet ein, die uns literarisch und archäologisch überliefert sind. Dadurch können die oben genannten Argumente in größerem Rahmen weiter abgesichert werden.

Wie an den geometrischen Motiven der grasenden Rehe und den mit zurückgewandtem Kopf liegenden Ziegenböcken gezeigt wurde, war bereits um die Mitte des 8. Jhs. v. Chr. ein orientalischer Einfluß in Attika fühlbar, der vermutlich mitverantwortlich war für die Einführung der figürlichen Zonen und der Tierfriese in die attisch geometrische Vasenmalerei[290]. Auch im Protokorinthischen beginnt in der 2. Hälfte des 8. Jhs. v. Chr. der orientalische Einfluß. Von Attika übernahmen diese neuen Figurentypen die anderen Keramikwerkstätten auf den Inseln, die zu dieser Zeit unter starkem attischen Einfluß standen[291]. Der orientalische Einfluß erstreckt sich hierbei lediglich auf die Motive und die Aufnahme neuer Themen in die griechische Kunst, der Stil bleibt ganz geometrisch. Beeinflußt wird also nicht eigentlich die stilistische Wiedergabe von Figuren wie es in der orientalisierenden Periode ungefähr ab 700 v. Chr. der Fall ist, sondern mehr die Bilderwelt der geometrischen Kunst.

Ähnliches läßt sich auch beobachten, wenn man die Bemalung der attischen Schalen und die Dekoration der syrisch-phönizischen Metallschalen miteinander vergleicht. Die Vorlage der orientalischen Metallschalen wurde nur als Anregung im Motivischen benutzt, stilistisch und inhaltlich sind die attischen Figuren meist rein griechisch und gehören dem geometrischen Stil an. So werden gern im Innern der attischen Schalen konzentrisch geführte Tierfriese, ein im Orient und besonders auch auf den syrisch-phönizischen Metallschalen beliebtes Thema, gemalt mit weidenden Rehen, Ziegenböcken und Pferden. Das orientalische Motiv der in Angriffshaltung mit erhobener Vorderpranke schreitenden Löwen wird übernommen und zu einem ganzen Löwenfries angeordnet; die Löwen selbst sind aber im geometrischen Sinn stilisiert mit der kennzeichnenden Überbetonung der wichtigen Körperteile und Merkmale. Friese hintereinander schreitender Stiere sind auf den syrisch-phönizischen Schalen häufig als Hauptthema gewählt und gaben offenbar die Anregung zur Bemalung der Basler Schale Nr. 68. Einzig bei den Stierdarstellungen ist eine stärkere stilistische Wirkung der massigen Stiere auf den östlichen Vorbildern zu erkennen, denn man versuchte im Attischen von den spindeldürren geometrischen Tierwiedergaben loszukommen und den Rindern mehr Volumen zu geben. Ein deutliches Beispiel dafür bietet die

---

290 S. 53 ff. Akurgal, Orient und Okzident (1966) 167 ff.   291 Coldstream 171 ff. Coldstream, BICS 18 (1971) 9 f.

Schale, Athen Nat.Mus. 13038, Nr. 53, in der Gegenüberstellung der rein geometrischen Pferde mit dem dicken, massigen Stier. Auch das antithetische Bildschema, das wir bei Löwen und Stieren auf den Schalen Athen, Nat.Mus. 14475, Nr. 31 und Edinburgh 1956.422, Nr. 72 antreffen, dürfte vom Orient entlehnt sein.

Die Szenen mit Menschendarstellungen stehen stilistisch ganz in geometrischer Tradition, ihr Inhalt ist wohl sicher griechisch, auch wenn wir ihn wie beispielsweise bei den Schalen London, Brit.Mus. 1950.11-9.1, Nr. 78 und Athen, Nat.Mus. 729, Nr. 23 nicht eindeutig bestimmen können. Bei der Darstellung eines Reigens zu einer thronenden Gestalt auf der Schale Athen, Nat.Mus. 784, Nr. 24, die wahrscheinlich die Prozession zu einem Götterbild meint, waren möglicherweise als Anregung zur Wiedergabe eines derartigen Themas die syrisch-phönizischen Schalen wirksam, die eine Prozession von Gabenbringern und Musikanten zu einer am Speisetisch thronenden Figur zeigen. Die von Zypern und Kreta stammenden Beispiele sind zusätzlich durch einen Frauenreigen bereichert.

Lassen sich bei den einzelnen Motiven häufig Anlehnungen und Beziehungen zu den syrisch-phönizischen Metallschalen belegen, so bleibt doch eines der stärksten Argumente für die Abhängigkeit der attischen Keramikschalen von den östlichen Metallschalen die im Geometrischen einmalige Bemalung und Dekorationsweise der Innenseite, die in ihren konzentrischen Zonen mit einem figürlichen Fries größte Übereinstimmung mit den Metallschalen aufweist. Wie geometrisch die attischen Schalen des 8. Jhs. trotz allem bleiben, verdeutlicht ein Vergleich mit der flachen protoattischen Schale Ker. 74[292], die ebenfalls in Nachahmung der syrisch-phönizischen Schalen entstanden ist. Sie gehört bereits der vollen orientalisierenden Phase des 2. Viertels des 7. Jhs. v. Chr. an, mit einem an orientalischen Vorbildern geschulten, fülligen Figurenstil, der aber keineswegs einfach kopiert, sondern ins Griechische umgesetzt ist. Bei anderen Details ist man in der Nachahmung der Vorbilder viel weiter gegangen; die flache Form entspricht mehr den flachen, nur am Rand aufgebogenen Metallschalen. In die Mitte ist eine rundblättrige Rosette gesetzt, die stark an das aus getriebenen Blattzungen bestehende Mittelmotiv einiger syrisch-phönizischer Metallschalen erinnert. Fast wörtlich ist das phönizische Motiv der Kuh übernommen, die mit zurückgewandtem Kopf ihr Kälbchen leckt, ein Motiv, das in einer geometrischen Stilisierungsweise nahezu undurchführbar war.

---

292 Kunze, Delt. 19 (1964) 168. Ker. VI,2 (1970) Taf. 22ff. S. 227.

Zusammenfassung

Die Gattung der attischen Keramikschalen mit Innenbemalung gehört nach zahlreichen Funden in Grabzusammenhängen und Brunnen dem spätgeometrischen Stil der 2. Hälfte des 8. Jhs. v. Chr. an, vereinzelte Stücke stammen aus Kontexten des frühen 7. Jhs. v. Chr. Nach ihrer Form und ihrem häufigen Vorkommen zusammen mit Kannen verschiedenen Typs dienten sie offenbar als Trinkgefäße.

Die Entwicklung ihrer Form folgt den allgemeinen Stiltendenzen der Zeit und zeigt in der Phase SG IIa gut akzentuierte Konturen mit gegeneinander abgesetzten Einzelteilen (Rand, Wandung, häufig auch ein Fuß), die in SG IIb stärker verwaschen aussehen und verschliffen werden (der Fuß fällt hier meist ganz weg). Die Schalenform ist offenbar von den traditionellen Skyphosformen abgeleitet und wahrscheinlich unter dem Einfluß der flachen orientalischen Metallschalen mit getriebener Innendekoration modifiziert worden, so daß ein offenes Gefäß mit schräger Wandung entstand, an deren Innenseite man eine figürliche Bemalung anbringen konnte.

Einige der figürlich bemalten Schalen können Werkstattzusammenhängen zugewiesen werden. Die frühesten Schalen nach der Mitte des 8. Jhs. v. Chr. gehören der Birdseed-Werkstatt an, in der dieser neue Typ wahrscheinlich erfunden wurde und in der diese Schalen in großer Anzahl hergestellt wurden (Nr. 5.37.43.47.50.53.54.67.70.73.74.83.85 Taf. 1–9). Zwei Schalen (Nr. 23.79, Taf. 10–11) stammen von der Hand des Malers B der Rattle Group; die Londoner Schale Nr. 79 weist in der Vogelreihe der Außenseite auf enge Beziehungen zur Birdseed-Werkstatt hin. Die Schale Ker. 1319, Nr. 10, Taf. 12–13, die ebenfalls zu den frühen Beispielen zählt, ist ganz offensichtlich von derselben Hand bemalt wie die im selben Grab gefundene Breithalskanne Ker. 1314; dem Maler von Ker. 1314 lassen sich bisher jedoch keine weiteren Werke mit Sicherheit zuschreiben. Der große Schalenhersteller in SG IIb ist die Werkstatt von Athen 894, aus der mehrere der figürlich bemalten Schalen kommen (Nr. 20.21.24.27.30.46.48.88.93.94.95, vielleicht auch Nr. 17.19, Taf. 18–22, 24 und 25a). Zwei andere Schalen (Nr. 12.71, Taf. 25b u. Abb. 5 (S. 48) wurden verschiedenen Händen der Werkstatt von Athen 897 zugewiesen.

Vergleicht man die Bemalung von Außen- und Innenseite, so ergibt sich ein für das Geometrische ganz außergewöhnliches Verhältnis. Während die Außenseite manchmal sogar nur dunkel überzogen ist und sonst meist nur mit wenigen Ornamentbändern bemalt ist, trägt die Innenseite reiche figürliche und ornamentale Bemalung. Besonders in der Bedeutung der Bemalungsthemen stellt sich die Innenseite als die wichtigere heraus. Das im Geometrischen nur an dieser Schalengattung anzutreffende Dekorationssystem der Innenseite mit konzentrischen Figurenzonen ist offenbar einer fremden Anregung zu verdanken, nämlich den syrisch-phönizischen Metallschalen, von denen anscheinend auch einzelne Themen wie Rinder, Löwen, Sphingen übernommen sind.

Die syrisch-phönizischen Metallvorbilder, die in einer Liste nach ihren Fundorten zusammengestellt wurden, sind in großer Zahl nach dem Westen exportiert worden und auch in Griechenland gefunden. Sie wurden spätestens vom 9. Jh. an bis ins 7. Jh. v. Chr. hinein im syrisch-phönizischen Gebiet hergestellt, wo sie durch ihren ägyptisierenden Mischstil und Inschriften zu lokalisieren sind. Eingewanderte Handwerker von der syrisch-phönizischen Küste arbeiteten einige dieser getriebenen Metallschalen auf Zypern, entsprechend wohl auch auf Kreta unter starker Mitarbeit griechischer Handwerker und möglicherweise auch in Etrurien. Das früheste in Griechenland gefundene Beispiel aus einem datierten Fundzusammenhang ist die Schale Ker. M. 5 von Gr. 42 aus der 2. Hälfte des 9. Jhs. v. Chr. Die Hauptzeit des Imports dieser orientalischen Schalen war aber erst das 8. Jh. v. Chr. Beziehungen zwischen Griechenland und dem syrisch-phönizischen Gebiet sind uns literarisch und archäologisch mehrfach bezeugt, zu denen als eine weitere Bestätigung die Abhängigkeit der attischen Schalen von Erzeugnissen des syrisch-phönizischen Gebietes tritt. Der orientalische Einfluß wirkt zu dieser Zeit mehr als Anregung, um neue Motive und Themen zu schaffen, die im Stil der geometrischen Kunst angehören. Nur beim Stierbild, das erstmals in der Flachkunst auf dieser Schalengattung auftritt, läßt sich ein beginnender stilistischer Einfluß zu einer fülligeren Körperwiedergabe erkennen, eine Erscheinung, die dann um 700 v. Chr. mit der eigentlich orientalisierenden Periode voll einsetzt.

ZEITLICHE EINORDNUNG DER SCHALEN

I. SG IIa (ca. 740/35–720 v. Chr.)

 4. Ker. 787   Beil. D 3
 5. Ker. 788   Taf. 5 u. Beil A 7
 6. Ker. 798   Beil. C 8
 7. Ker. 822   Beil. D 1
10. Ker. 1319   Taf. 12–13 u. Beil. B 1
11. Ker. 2683   Beil. C 2
14. Ker. 3786   Beil. D 6
23. Athen, Nat.Mus. 729   Taf. 10 u. Beil. B 2
26. Agora P 3645   Beil. C 1
28. Akr.Mus. 1959-NAK-27
31. Athen, Nat.Mus. 14475   Taf. 15 u. Beil. C 4
33. Brauron B.K. 3135
35. Eleusis 834
36. Eleusis 1682   Taf. 36
37. Athen, Nat.Mus. aus Glyphada (?)
40. Athen, BSA K. 2   Taf. 34 u. Beil. G 4
42. Brauron, aus Merenta Gr. 1   Beil. D 7
43. Brauron, aus Merenta Gr. 27   Beil. A 4
45. Brauron, aus Merenta   Beil. D 2
47. Athen, Nat.Mus. 15284   Taf. 7 u. Beil. A 5
50. Trachones Tr 302   Beil. A 2
52. Trachones Tr 358   Beil. C 3
53. Athen, Nat.Mus. 13038   Taf. 1 und Abb. 10 (S. 63)
54. Thera, aus dem Schiffschen Grab
57. Agora P 12110   Beil. C 5
58. Agora P 12112   Beil. C 6
59. Agora P 12277   Beil. C 9

60. Agora P 25290   Beil. C 10
62. Athen, Nat.Mus. 874   Taf. 14
63. Athen, Nat.Mus. 18442   Taf. 16 u. Beil. C 7
64. Athen, Nat.Mus. 18486
67. Athen, BSA A 343   Beil. A 6
69. Basel, Kunsthandel
70. Bonn, V.I. 1632   Taf. 3 u. Beil. A 3
74. Edinburgh 1956.423   Taf. 4
81. Luzern, Kunsthandel
82. Malibu, J. Paul Getty Mus., Slg. H. Cohn L73.A.E.26.
83. Manchester III H 43   Taf. 6
84. München 6029   Taf. 17 und Beil. D 4
85. München 6220   Taf. 2 u. Beil. A 1
86. München 6229   Beil. D 5
89. Oxford 1922.215   Taf. 35

II. SG IIb (ca. 720–700 v. Chr.)
 2. Ker. 353   Beil. F 2
 3. Ker. 389   Beil. F 7
 8. Ker. 857   Beil. F 1
 9. Ker. 1283
12. Ker. 2859   Abb. 5 (S. 48)
13. Ker. 2860
15. Ker. 4348
16. Ker. 4362
17. Ker. 4363
18. Ker. 4367
19. Ker. 4368   Taf. 24d

Tafeln 1–36
Beilagen A–G

Nr. 53   Athen, Nat. Mus. 13038

Nr. 85   München 6220

Nr. 74   Edinburgh 1956. 423

Nr. 5   Athen, Kerameikos Mus. 788

Nr. 83   Manchester III H 43

Nr. 47   Athen, Nat. Mus. 15284

Nr. 73   Edinburgh 1956. 422

Nr. 73   Edinburgh 1956. 422

Nr. 23   Athen, Nat. Mus. 729

Nr. 79   London, Brit. Mus. 1950. 11—9. 1

Nr. 10   Athen, Ker. Mus. 1319

Nr. 10   Athen, Ker. Mus. 1319

Nr. 62   Athen, Nat. Mus. 874

Nr. 31   Athen, Nat. Mus. 14475

Nr. 63   Athen, Nat. Mus. 18442

Nr. 84   München 6029

Nr. 46   Athen, Nat. Mus. 15283

Nr. 94   Würzburg H. 5051

Nr. 24   Athen, Nat. Mus. 784

Nr. 30   Athen, Nat. Mus. 14441

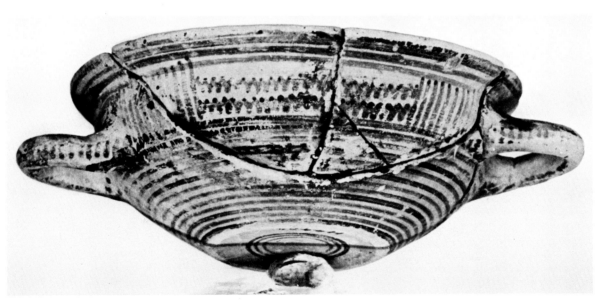

Nr. 93   Würzburg L. 58

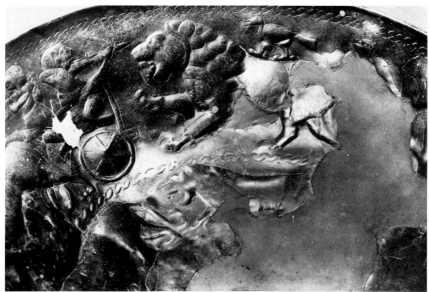

Oxford G 401

Nr. 27   Athen, Agora Mus. P 5503

Nr. 20   Athen, Ker. Mus. 4369

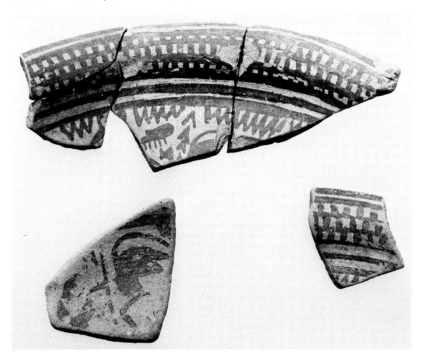

Nr. 21   Athen, Ker. Mus. 4370

Nr. 19   Athen, Ker. Mus. 4368

Nr. 95   Aufbewahrungsort unbekannt

Nr. 71   Brüssel A 2113

Nr. 80   Privatbesitz Luzern

Nr. 78   London, Brit. Mus. 1895. 7—20. 11

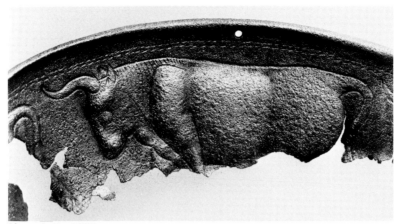

Olympia Br 8555

Nr. 68   Privatbesitz Basel

Nr. 68   Privatbesitz Basel

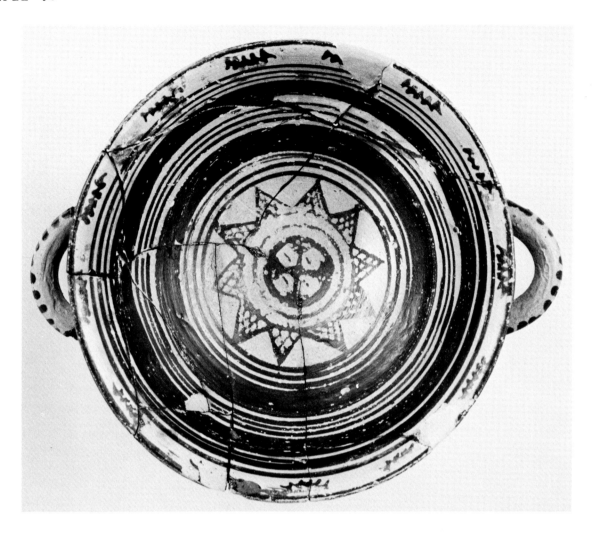

Nr. 41   Athen, British School K. 3

Nr. 75   Hobart, John Elliott Classics Museum Nr. 8

Nr. 34   Eleusis 709 (308)

Nr. 72   Dresden, Albertinum ZV 1476

Nr. 90   Oxford, Ashmolean Mus. 1932. 1157

Nr. 40   Athen, British School K. 2

Nr. 89   Oxford, Ashmolean Mus. 1922. 215

Nr. 36   Eleusis 1682 (278)

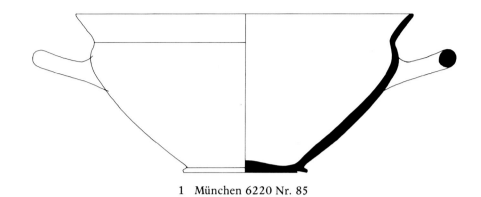

1   München 6220 Nr. 85

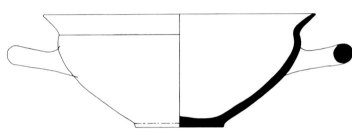

2   Trachones Tr 302 Nr. 50

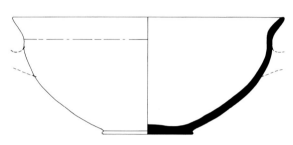

3   Bonn, V.I. 1632 Nr. 70

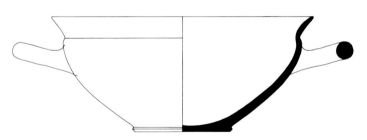

4   Brauron, aus Merenta Gr. 27 Nr. 43

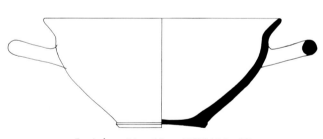

5   Athen, Nat. Mus. 15284 Nr. 47

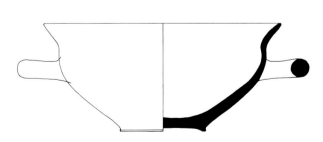

6   Athen, BSA. A 343 Nr. 67

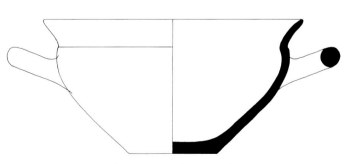

7   Ker. Mus. 788 Nr. 5

Maler von Kerameikos 1314 (SG IIa)

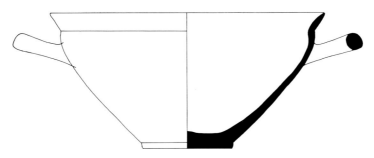

1   Ker. Mus. 1319 Nr. 10

Maler B der Rattle Group (SG IIa−b)

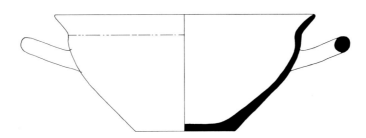

2   Athen, Nat. Mus. 729 Nr. 23

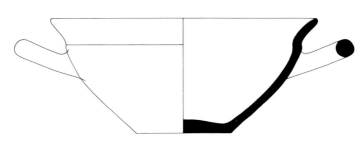

3   London 1950.11−9.1 Nr. 79

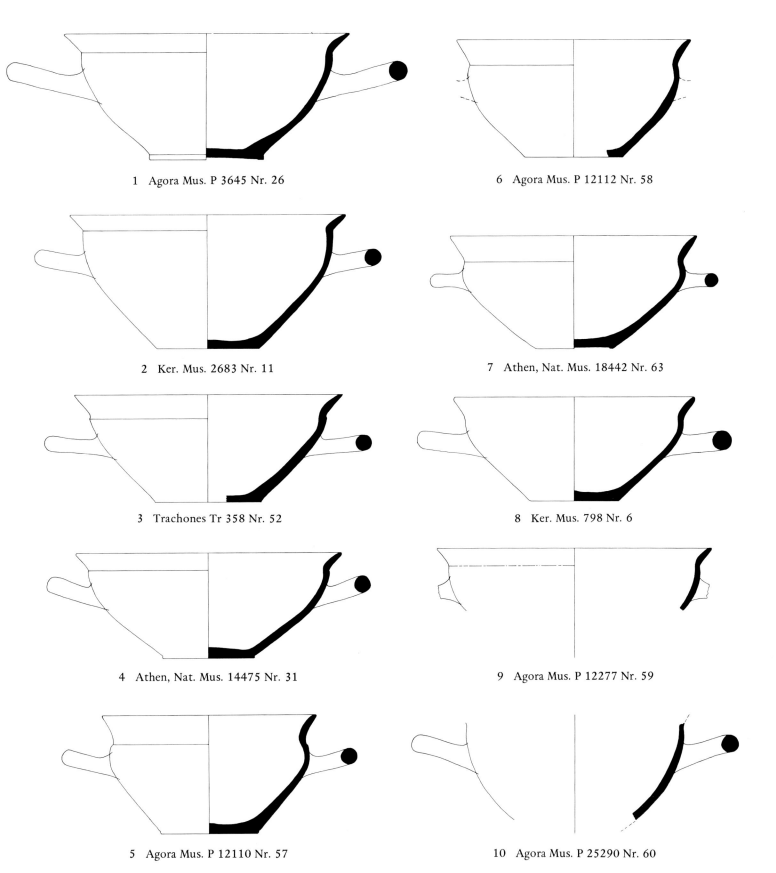

1 Agora Mus. P 3645 Nr. 26

6 Agora Mus. P 12112 Nr. 58

2 Ker. Mus. 2683 Nr. 11

7 Athen, Nat. Mus. 18442 Nr. 63

3 Trachones Tr 358 Nr. 52

8 Ker. Mus. 798 Nr. 6

4 Athen, Nat. Mus. 14475 Nr. 31

9 Agora Mus. P 12277 Nr. 59

5 Agora Mus. P 12110 Nr. 57

10 Agora Mus. P 25290 Nr. 60

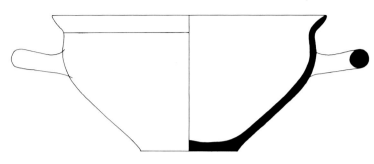

1   Ker. Mus. 822 Nr. 7

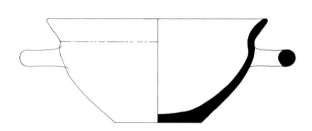

2   Brauron, aus Merenta Nr. 45

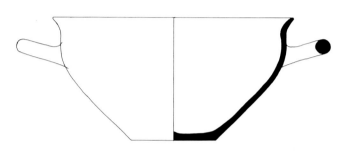

3   Ker. Mus. 787 Nr. 4

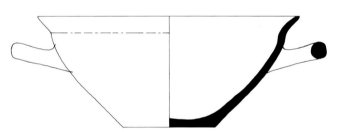

4   München 6029 Nr. 84

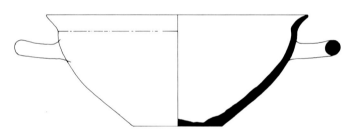

5   München 6229 Nr. 86

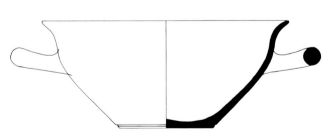

6   Ker. Mus. 3786 Nr. 14

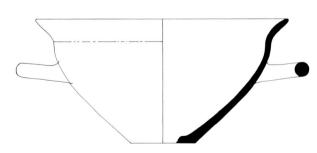

7   Brauron, aus Merenta Gr. 1 Nr. 42

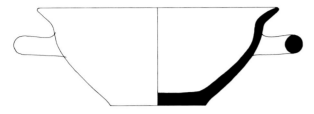

1   Athen, Nat. Mus. 15283 Nr. 46

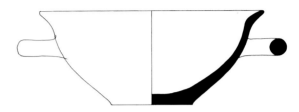

2   Athen, Nat. Mus. 14441 Nr. 30

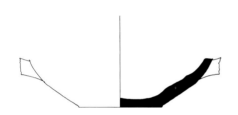

3   Agora Mus. P 5503 Nr. 27

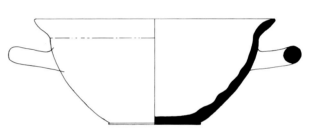

4   München 8506 Nr. 88

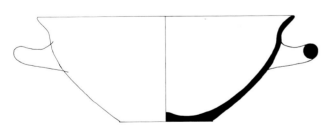

5   Würzburg H. 5051 Nr. 94

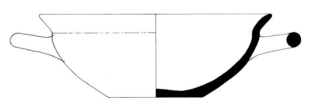

6   Würzburg L. 58 Nr. 93

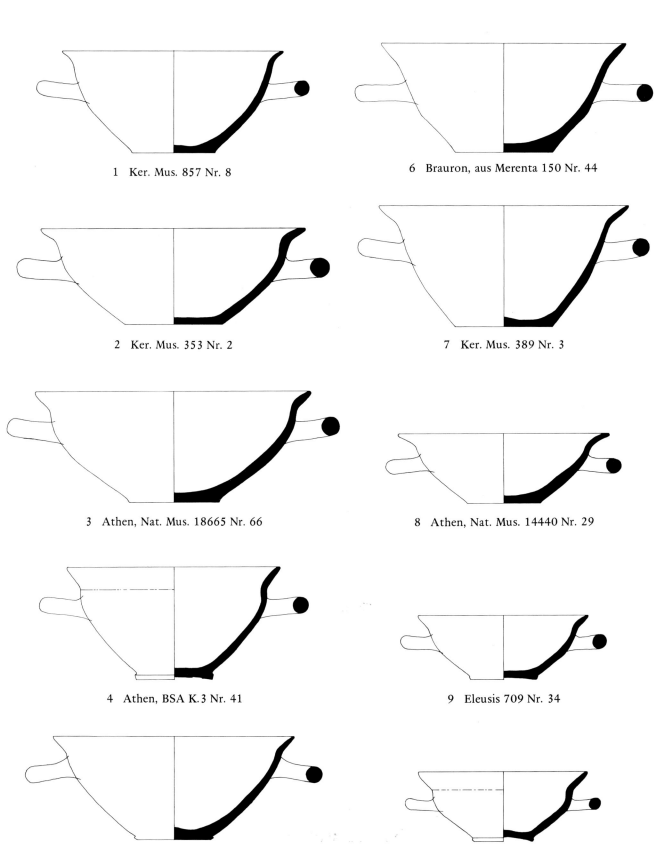

1   Ker. Mus. 857 Nr. 8

6   Brauron, aus Merenta 150 Nr. 44

2   Ker. Mus. 353 Nr. 2

7   Ker. Mus. 389 Nr. 3

3   Athen, Nat. Mus. 18665 Nr. 66

8   Athen, Nat. Mus. 14440 Nr. 29

4   Athen, BSA K.3 Nr. 41

9   Eleusis 709 Nr. 34

5   Basel, Slg. Erlenmeyer Nr. 68

10   München 6401 Nr. 87

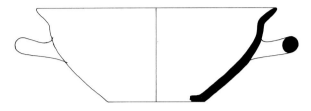

1 Agora Mus. P 20699 Nr. 61

2 Agora Mus. P 7464 Nr. 56

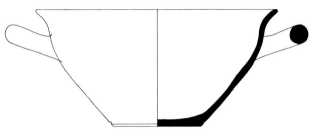

3 Ker. Mus. 348 Nr. 1

Einzelformen

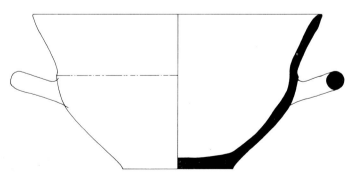

4 Athen, BSA K.2 Nr. 40